INTIMIDADE

Osho

INTIMIDADE
Como confiar em si mesmo e nos outros

Tradução
HENRIQUE AMAT RÊGO MONTEIRO

Editora
Cultrix
SÃO PAULO

Título do original: *Intimacy: Trusting Oneself and the Other.*
Copyright © 2001 Osho International Foundation — http://www.osho.com
Copyright da edição brasileira © 2003 Editora Pensamento-Cultrix Ltda.

1ª edição 2003 – catalogação na fonte 2006.
11ª reimpressão 2018.

O material que compõe este livro foi selecionado a partir de várias palestras dadas por Osho a uma plateia ao vivo. Todas as palestras de Osho foram publicadas na íntegra em forma de livro e também estão disponíveis em gravações originais. As gravações e os arquivos de textos completos podem ser encontrados na **OSHO** Library, em www.osho.com.

Todos os direitos reservados. Nenhuma parte deste livro pode ser reproduzida ou usada de qualquer forma ou por qualquer meio, eletrônico ou mecânico, inclusive fotocópias, gravações ou sistema de armazenamento em banco de dados, sem permissão por escrito, exceto nos casos de trechos curtos citados em resenhas críticas ou artigos de revistas.

Publicado mediante acordo com Osho International Foundation, Bahnhofstr. 52, 8001 Zurique, Suíça. www.osho.com

Capa: "Osho Signature Art" – Arte da capa de Osho.

OSHO é uma marca registrada da Osho International Foundation, usada com a devida permissão e licença.

Quaisquer fotos, imagens ou arte final de Osho, pertencentes à Osho International Foundation ou vinculadas a ela por copyright e fornecidas aos editores pela OIF, precisam de autorização da Osho International Foundation para seu uso.

Dados Internacionais de Catalogação na Publicação (CIP)
(Câmara Brasileira do Livro, SP, Brasil)

Osho, 1931-1990.
  Intimidade : como confiar em si mesmo e nos outros / Osho ; tradução Henrique Amat Rêgo Monteiro. -- São Paulo : Cultrix, 2006.

Título original : Intimacy : trusting oneself and the other.
ISBN 978-85-316-0776-9

1. Intimidade (Psicologia) – Aspectos religiosos I. Título.

06-4893   CDD-299.93

Índices para catálogo sistemático:
1. Intimidade : Osho : Religiões de natureza universal 299.93

Direitos de tradução para o Brasil adquiridos com exclusividade pela
EDITORA PENSAMENTO-CULTRIX LTDA., que se reserva a
propriedade literária desta tradução.
Rua Dr. Mário Vicente, 368 – 04270-000 – São Paulo, SP
Fone: (11) 2066-9000 – Fax: (11) 2066-9008
http://www.editoracultrix.com.br
E-mail: atendimento@editoracultrix.com.br
Foi feito o depósito legal.

Sumário

Prefácio 7

O MAIS IMPORTANTE EM PRIMEIRO LUGAR:
O ABC DA INTIMIDADE 19
    Comece Onde Você Está 21
    Seja Autêntico 31
    Ouça a Si Mesmo 40
    Confie em Si Mesmo 42

INTIMIDADE COM OS OUTROS:
OS PRÓXIMOS PASSOS 53
    Seja Visto 55
    A Necessidade de Privacidade 58
    Relação, Não Relacionamento 66
    Assuma o Risco de Ser Sincero 69
    Aprenda a Linguagem do Silêncio 75

QUATRO ARMADILHAS 77
    O Hábito da Reação 79

Apego à Segurança 84
Lutando com a Sombra 93
Falsos Valores 109

INSTRUMENTOS PARA A TRANSFORMAÇÃO 117
Aceite a Si Mesmo 119
Seja Vulnerável 125
Seja Egoísta 146
Uma Técnica de Meditação 150

NO CAMINHO DA INTIMIDADE 159
Respostas a Perguntas 159
Por que considero ameaçadoras as pessoas atraentes? 161
Por que me sinto acanhado? 172
Fico inseguro quando me aproximo das pessoas.
   O que devo fazer para ser eu mesmo? 177
O que é dar e o que é receber? 180
Qual é o segredo para viver com intimidade? 189

Sobre o autor 191
Para mais informações 192

Prefácio

Todo mundo tem medo da intimidade — se você tem consciência disso ou não, é outra coisa. Intimidade significa expor-se perante um estranho — e somos todos estranhos; ninguém conhece ninguém. Somos estranhos até para nós mesmos, porque não sabemos quem somos.

A intimidade aproxima você de um estranho. Você tem de baixar todas as suas defesas; só então a intimidade é possível. E o medo é tanto que se você baixar todas as suas defesas, todas as suas máscaras, quem sabe o que o estranho fará com você? Todos escondemos mil e uma coisas, não só dos outros mas de nós mesmos, porque somos produtos de uma humanidade doente, com todos os tipos de repressões, inibições, tabus. E o medo é tanto que com alguém que seja um estranho — e não importa que você tenha vivido com a pessoa por trinta, quarenta anos: a estranheza nunca deixa de existir — parece mais seguro manter algum tipo de defesa, uma certa distância, porque o outro pode levar vantagem sobre as suas fraquezas, sobre as suas fragilidades, sobre a sua vulnerabilidade.

Todo mundo tem medo da intimidade.

O problema se complica ainda mais porque todo mundo quer intimidade. Todo mundo quer intimidade porque, do contrário, estaríamos sozinhos no universo — sem amigos, sem um amor, sem alguém em quem confiar, sem ninguém a quem você possa abrir todas as suas feridas. E as feridas não podem se fechar a menos que estejam abertas. Quanto mais você as esconde, mais perigosas elas se tornam. Elas podem se tornar cancerosas.

Por um lado a intimidade é uma necessidade essencial, portanto todo mundo anseia por ela. Você quer que a outra pessoa seja íntima, de modo que a outra pessoa abaixe as defesas dela, torne-se vulnerável, abra todas as suas feridas, derrube todas as suas máscaras e falsas personalidades, fique nua como ela é. E, por outro lado, todo mundo tem medo da intimidade — você quer ser íntimo da outra pessoa, mas não abaixa as *suas* defesas. Esse é um dos conflitos entre amigos, entre pessoas que se amam: ninguém quer abaixar as próprias defesas e ninguém quer se expor em total nudez e sinceridade, abrir-se — e ambos necessitam de intimidade.

A menos que se dispa de todas as suas repressões, inibições — que recebeu da sua religião, da sua cultura, da sua sociedade, dos seus pais, da sua educação —, você nunca será capaz de ser íntimo de alguém. E você terá de tomar a iniciativa.

Mas se você não tiver nenhuma repressão, nenhuma inibição, então também não terá feridas. Se viver uma vida simples, natural, não existirá medo da intimidade, mas a excepcional alegria de duas chamas aproximando-se ao ponto de quase se tornarem uma única chama. E o encontro será imensamente gratificante, satisfatório, realizador. Mas, antes de tentar chegar à intimidade, você deve limpar completamente a sua casa.

Apenas um homem que pratica a meditação pode permitir que a intimidade aconteça. Ele não tem nada a esconder. Tudo o que ele temia que alguém viesse a saber, ele próprio já deixou para trás. Em seu coração ele guarda apenas o silêncio e a compaixão.

PREFÁCIO

Você tem de se aceitar em sua totalidade. Se não for capaz de se aceitar em sua totalidade, como pode esperar que alguém o aceite? E se tiver sido condenado por todos, terá aprendido apenas uma coisa: a condenação de si mesmo. Você continua escondendo isso; isso não é uma coisa bonita para mostrar aos outros. Você sabe que esconde coisas feias, sabe que esconde coisas más, sabe que esconde a animalidade. A menos que transforme a sua atitude e aceite a si mesmo como um dos animais viventes...

O mundo *animal* não é ruim. Ele significa simplesmente vivo; ele vem de *anima*. Tudo o que está vivo é animal. Mas tem sido ensinado ao homem: "Vocês não são animais; os animais estão bem abaixo de vocês. Vocês são seres humanos." Vocês receberam uma falsa noção de superioridade. A verdade é que a vida não acredita no superior e no inferior. Para a vida, tudo é igual — as árvores, os pássaros, os animais, os seres humanos. Na vida, tudo é absolutamente aceito como é, não existe condenação.

Se você aceita a sua sexualidade incondicionalmente, se você aceita que o homem e todos os seres do mundo são frágeis, que a vida é um fio muito fino, que pode romper-se a qualquer momento... Uma vez aceito isso, e deixando de lado falsos egos — de ser Alexandre, o Grande, Mohammed Ali, o triplamente grande — se você simplesmente entende que todo mundo é bonito em sua mediocridade e todo mundo tem fraquezas; elas são parte da natureza humana, porque você não é feito de aço. Você é feito de um corpo muito frágil. Os limites da sua vida situam-se entre 36,5 e 43,5 graus, um limite de apenas sete graus de temperatura. Abaixo ou acima desse limite, você estará morto. E o mesmo se aplica a mil e uma coisas em você. Uma das suas mais básicas necessidades é a de ser necessário. Mas ninguém quer aceitar que "é minha necessidade básica ser necessário, ser amado, ser aceito".

Nós vivemos com essas pretensões, essas hipocrisias — essa é a razão pela qual a intimidade dá medo. Você não é o que aparenta ser. A sua aparência é falsa. Você pode parecer ser um santo mas, no fundo, você ainda é um ser humano fraco, com todas as vontades e todos os desejos.

O primeiro passo é aceitar a si mesmo em sua totalidade — a despeito de todas as suas tradições, que deixaram a humanidade inteira louca. Depois de ter-se aceito como é, o medo da intimidade irá desaparecer. Você não pode perder o respeito, não pode perder a sua grandeza, não pode perder o seu ego. Você não pode perder a sua devoção, não pode perder a sua virtuosidade — você deixou tudo isso para trás por conta própria. É exatamente como uma criancinha, totalmente inocente. Pode abrir-se porque, por dentro, você não está cheio de repressões revoltantes que se tornaram perversões. Pode dizer tudo o que sente com autenticidade e sinceridade. E se estiver pronto para ter intimidade, irá encorajar a outra pessoa a também ter intimidade. A sua compreensão, receptividade, sinceridade ajudarão a outra pessoa a ter também a mesma atitude em relação a você. A sua simplicidade despretensiosa permitirá que o outro também aprecie a simplicidade, a bondade, a confiança, o amor e a compreensão.

Você está aprisionado por conceitos estúpidos, e o seu medo é de que, se você se tornar muito íntimo de alguém, esse alguém vá perceber isso. Mas nós somos seres frágeis — os mais frágeis que existem. A criança é o filhote mais frágil dentre todos os animais. As crias dos outros animais podem sobreviver sem a mãe, sem o pai, sem uma família. Mas a criança morre imediatamente. Assim, essa fragilidade não é algo a ser condenado — ela é a mais elevada expressão da consciência. Um botão de rosa é frágil; ele não é uma pedra. E não há necessidade de sentir-se mal porque você é um botão de rosa e não uma pedra.

Apenas quando duas pessoas se tornam íntimas é que elas não são mais estranhas. E é uma linda experiência descobrir que não só você é cheio de fraquezas, mas os outros também, talvez todo mundo, são cheios de fraquezas. A expressão mais elevada de qualquer coisa torna-se mais fraca. As raízes são muito fortes, mas a flor não pode ser tão forte. A sua beleza é por não ser tão forte. De manhã ela abre as suas pétalas para receber o sol, oscila o dia inteiro ao vento, sob a chuva, ao sol, e quando a noite chega as suas pétalas começam a cair; ela se foi.

Tudo o que é bonito, precioso, acaba sendo muito passageiro. Mas você quer que tudo seja permanente. Você ama alguém e promete: "Vou amar você por toda a minha vida." E você sabe perfeitamente bem que não pode ter certeza nem do dia de amanhã — você está fazendo uma falsa promessa. Tudo o que você pode dizer é: "Estou apaixonado por você neste momento e vou me dar inteiramente a você. Quanto ao futuro, não sei nada. Que posso prometer? Você tem de me perdoar."

Mas as pessoas que amam prometem todo o tipo de coisa que não podem cumprir. Então vem a frustração, então a distância aumenta, depois vêm as brigas, os conflitos, as desavenças, e uma vida que era para trazer felicidade torna-se apenas uma sucessão de desgraças cada vez maiores.

Se você tomar consciência de que tem medo da intimidade, isso se tornará uma grande revelação, e uma revolução, se olhar para dentro de si e começar a se livrar de tudo aquilo de que sente vergonha e aceitar a sua natureza como ela é, não como deveria ser. Eu não ensino nada que "deve". Todos os deves deixam a mente humana doente. As pessoas devem aprender a beleza de *ser,* o excepcional esplendor da natureza. As árvores não conhecem nenhuns dez mandamentos, os pássaros não conhecem nenhumas escrituras sagradas. Foi só o homem que criou um problema para si mesmo. Condenando a sua própria natureza, você se torna dividido, você se torna esquizofrênico.

E não só as pessoas comuns, mas as pessoas do nível de Sigmund Freud, que contribuiu muito para a compreensão da mente pela humanidade. O método dele era a psicanálise, pelo qual você deve ser levado a tomar consciência de tudo o que é inconsciente em si mesmo — e esse é o segredo: algo que esteja inconsciente, quando trazido à mente consciente, evapora. Você se torna mais limpo, mais leve. À medida que mais e mais coisas inconscientes são desafogadas, sua consciência vai se tornando maior. E à medida que a área do inconsciente encolhe, o território da consciência se expande.

Essa é uma imensa verdade. O Oriente a conhece há milhares de anos mas, no Ocidente, foi introduzida por Sigmund Freud — ele não conhecia nada do Oriente e da sua psicologia. Foi a contribuição pessoal dele. Mas você ficará surpreso em saber que ele nunca se dispôs a ser psicanalisado. O fundador da psicanálise nunca foi psicanalisado. Os colegas dele insistiram várias vezes:

— Você nos deu o método, e todos fomos psicanalisados. Por que insiste que não deve ser psicanalisado?

— Esqueçam isso — ele sempre respondia.

Freud tinha medo de se expor. Ele se tornara um grande gênio e expor-se o rebaixaria ao nível da humanidade comum. Ele tinha os mesmos medos, os mesmos desejos, as mesmas repressões. Ele nunca falou sobre os próprios sonhos, apenas ouviu os sonhos das outras pessoas. E os colegas dele ficaram muito surpresos — "Será uma grande contribuição conhecer os seus sonhos." Mas ele nunca concordou em se deitar num divã de psicanalista e falar sobre os próprios sonhos, porque os sonhos dele eram tão comuns quanto os de todo mundo — esse era o medo.

Um Gautama Buda não teria medo de fazer meditação — essa foi a contribuição dele, um tipo especial de meditação. E ele não teria tido medo de nenhuma psicanálise porque, para o homem que medita, pouco a pouco todos os seus sonhos desaparecem. Durante o dia, a mente dele permanece em silêncio, sem o trânsito comum de pensamentos. E durante a noite ele dorme profundamente, porque os sonhos não são nada além de pensamentos não-esquecidos, desejos não-satisfeitos, saudades não-resolvidas que restaram do dia. Eles tentam se completar, ao menos como sonhos.

PREFÁCIO

Será muito difícil para você encontrar um homem que sonha com a esposa, ou uma mulher que sonha com o marido. Mas será absolutamente comum que eles sonhem com a esposa ou com o marido dos vizinhos. A esposa está disponível; o marido não reprime nada no que se relaciona a ela. Mas a esposa do vizinho é sempre mais bela, assim como a grama dele é mais verde do outro lado da cerca. E aquilo de que não podemos nos aproximar cria um desejo profundo de conquista, de posse. Durante o dia você não pode fazê-lo, mas nos sonhos, ao menos, você é livre. A liberdade de sonhar ainda não foi eliminada pelos governantes.

Não vai demorar muito — logo eles vão suprimi-la, porque os métodos estão disponíveis, já disponíveis, de modo que eles podem observar quando você está sonhando e quando não está sonhando. E há uma possibilidade de algum dia descobrirem um aparelho científico em que o seu sonho possa ser projetado numa tela. Basta colocar alguns eletrodos na sua cabeça. Você vai cair no sono, sonhando alegremente, amando a esposa do vizinho e toda a platéia do cinema vai ver. E eles que pensavam que você fosse um santo homem!

Isso até mesmo você pode observar: sempre que uma pessoa estiver dormindo, se as pálpebras dela não mostrarem nenhum movimento dos olhos internamente, então essa pessoa não está sonhando. Se ela estiver sonhando, você poderá observar os olhos dela se movendo.

É possível projetar o seu sonho numa tela. Também é possível forçar determinados sonhos a você. Mas, pelo menos até o momento, nenhuma constituição nem sequer menciona o assunto de que "As pessoas são livres para sonhar, é seu direito inato".

Um Gautama Buda não sonha. A meditação é um caminho para ir além da mente. Ele vive em absoluto silêncio vinte e quatro horas por dia — nada de ondulações no lago da sua consciência, nada de pensamentos, nada de sonhos.

Mas Sigmund Freud tem medo porque ele sabe que sonha.

Soube de um incidente envolvendo três grandes escritores russos. Tchekov, Górki e Tolstói estavam sentados num banco de jardim, conversando sobre amenidades, pois eram grandes amigos. Todos eram gênios, todos produziram grandes romances que assim permanecem até hoje — se quisermos considerar os dez maiores romances do mundo, pelo menos cinco serão dos escritores russos de antes da revolução.

Tchekov falava sobre as mulheres da vida dele, Górki o acompanhou, fazendo alguns comentários. Mas Tolstói permaneceu em silêncio. Tolstói era um cristão ortodoxo muito religioso. Vocês ficariam surpresos em saber que Mahatma Gandhi, da Índia, considerava três pessoas como os seus mestres, e uma delas era Tolstói.

E Tolstói deve ter sido muito reprimido. Ele era um dos homens mais ricos da Rússia, tendo pertencido à família real, e no entanto vivia como um mendigo porque "bem-aventurados serão os pobres porque eles herdarão o reino de Deus", e ele não queria perder o reino de Deus. Isso não é simplicidade e não é falta de desejo — é desejo demais. É ambição demais. É sede de poder demais. Ele sacrificou a vida e as alegrias porque esta vida é curta, e pela eternidade ele desfrutaria o paraíso e o reino de Deus. É uma boa troca — quase como uma loteria, sem dúvida.

Tolstói teve uma vida celibatária, alimentando-se apenas com uma dieta vegetariana. Ele era quase um santo! Naturalmente, os sonhos dele deviam ser muito feios, seus pensamentos eram muito feios. E quando Tchekov e Górki lhe perguntaram:

— Tolstói, por que ficou em silêncio? Diga alguma coisa!

Ele respondeu:

— Não posso falar nada sobre as mulheres. Só vou dizer alguma coisa quando estiver com o pé na cova. Vou falar e pular para dentro do túmulo.

PREFÁCIO

Pode-se entender por que ele tinha tanto medo de dizer alguma coisa; aquilo estava fervendo dentro dele. Agora, não se pode ser muito íntimo de um homem como Tolstói...

Intimidade significa simplesmente que as portas do coração estão abertas para você; você é bem-vindo para entrar e ficar à vontade. Mas isso só é possível se você tiver um coração que não esteja contaminado pela sexualidade reprimida, que não esteja fervendo com todos os tipos de perversões, um coração que seja natural. Tão natural quanto as árvores, tão inocente quanto as crianças — então não haverá medo da intimidade.

É isto o que estou tentando fazer: ajudar você a desafogar o seu inconsciente, aliviar a sua mente, tornar-se comum. Não há nada mais belo do que ser apenas simples e comum. Então você poderá ter quantos amigos íntimos quiser, quantos relacionamentos íntimos forem possíveis, porque você não tem medo de nada. Você se tornou um livro aberto — qualquer um pode ler. Não há nada a esconder.

Todos os anos, os sócios de um clube de caça iam acampar nas colinas de Montana. Eles tiravam a sorte para decidir quem cuidaria da cozinha e também estabeleciam que quem reclamasse da comida substituiria automaticamente o desafortunado cozinheiro.

Depois de alguns dias, chegando à conclusão de que provavelmente ninguém se arriscaria a reclamar, Sanderson, o cozinheiro, pôs em prática um plano desesperado. Encontrando excrementos de alce, colocou dois punhados no cozido daquela noite. Depois dos primeiros bocados ao redor da fogueira, ele observou algumas caretas, mas ninguém disse nada. Então, de repente, um sócio rompeu o silêncio.

— Ei! — exclamou ele. — Essa coisa está com gosto de bosta de alce... mas está boa!

Você tem muitas caras. Por dentro, pensa uma coisa, por fora expressa outra. Você não é um todo orgânico.

Relaxe e destrua essa divisão que a sociedade criou em você. Diga apenas o que pensa. Aja de acordo com a sua espontaneidade, nunca se importando com as conseqüências. A vida é curta e não deve ser desperdiçada em preocupações com as conseqüências disso ou daquilo.

Deve-se viver de modo integral, intenso, alegre e assim como um livro aberto, à disposição para quem quiser ler. É claro que você não vai ficar famoso na história da literatura. Mas qual o sentido de ficar famoso na história da literatura?

Viva, em vez de pensar em ser lembrado. Aí você já estará morto.

Milhões de pessoas já viveram sobre a terra e não sabemos nem sequer o nome delas. Aceite este fato simples: você está aqui apenas por alguns dias e depois irá embora. Esses poucos dias não devem ser desperdiçados com hipocrisia, com medo. Esses dias precisam ser muito bem aproveitados.

Ninguém sabe nada sobre o futuro. O seu céu, o seu inferno e o seu Deus muito provavelmente não passam de hipóteses, não comprovadas. A única coisa que está nas suas mãos é a sua vida — faça dela a mais interessante possível.

Pela intimidade, pelo amor, por se abrir a muitas pessoas, você se torna mais interessante. E se puder viver um amor profundo, uma amizade verdadeira, uma intimidade generosa, com muitas pessoas, você terá vivido da melhor maneira possível, e onde quer que esteja, se tiver aprendido essa arte, viverá assim ali também, com felicidade.

Se for simples, carinhoso, receptivo, compreensivo, íntimo, você terá criado um paraíso ao seu redor. Se for fechado, constantemente na defensiva, sempre preocupado que alguém possa perceber os seus pensamentos, os seus sonhos, as suas perversões — você estará vivendo no inferno. O inferno está dentro de você, assim como o paraíso. Eles não são lugares geográficos, são espaços espirituais.

Purifique-se. E a meditação não é nada além de uma limpeza de todo o lixo que se acumulou na sua mente. Quando a mente estiver em silêncio e o coração batendo, você estará pronto — sem nenhum medo, mas com uma grande alegria — para ser íntimo. E sem intimidade você está sozinho aqui, entre estranhos. Com intimidade você está cercado de amigos, de pessoas que o amam. A intimidade é uma experiência importante. Não se deve esquecer disso.

O MAIS IMPORTANTE EM PRIMEIRO LUGAR: O ABC DA INTIMIDADE

As pessoas procuram a meditação, a oração, novas maneiras de ser. Mas a busca mais profunda, e a busca mais básica, é como voltar a criar raízes na vida. Chame isso de meditação, de oração ou de como quiser, mas o essencial é como voltar a criar raízes na vida. Nós nos tornamos árvores desenraizadas — e ninguém mais é responsável por isso senão nós, com a nossa idéia estúpida de conquistar a natureza.

Nós somos parte da natureza — como pode a parte conquistar o todo? Proteja-a, ame-a, confie nela e, pouco a pouco, nessa amizade, nesse amor, nessa confiança, vai surgir a intimidade; ambos se aproximam. Ao se aproximar de você, a natureza começa a revelar os segredos dela. O maior segredo da natureza é a divindade. Ela se revela apenas àqueles que realmente são amigos da vida.

COMECE ONDE VOCÊ ESTÁ

A vida é uma busca — uma busca constante, uma busca desesperada, uma busca irrealizável, uma busca por algo que não se sabe o que é. Existe uma ânsia profunda de buscar, mas não se sabe o que se está buscando. E existe um determinado estado mental em que o que quer que você consiga não lhe traz nenhuma satisfação. A frustração parece ser o destino da humanidade, porque tudo o que você consegue perde o sentido no momento em que você acabou de conseguir. E você começa a buscar de novo.

A busca continua quer você tenha alcançado alguma coisa, quer não. Parece irrelevante o que você tem, o que você não tem, a busca continua de qualquer maneira. Os pobres estão buscando, os ricos estão buscando, os doentes estão buscando, os saudáveis estão buscando, os poderosos estão buscando, os impotentes estão buscando, os estúpidos estão buscando, os sábios estão buscando — e ninguém sabe exatamente o quê.

A busca em si — o que ela é e por que existe — tem de ser compreendida. Parece que existe uma lacuna no ser humano, na mente humana. Na própria estrutura da consciência humana parece que há um buraco, um buraco negro. Você continua atirando coisas dentro dele e elas continuam desaparecendo. Nada parece encher esse buraco, nada parece levar ao seu preenchimento. É uma busca muito febril. Você busca neste mundo, busca no outro mundo. Às vezes busca no dinheiro, no poder, no prestígio, e às vezes busca em Deus, na bênção, no amor, na meditação, na oração — mas a busca continua. Parece que a busca é uma doença humana.

A busca não permite que você esteja aqui e agora, porque ela sempre leva você a um outro lugar. A busca é uma projeção, a busca é um desejo, uma idéia de que em algum lugar está aquilo de que precisamos — pois ele existe, mas existe em outro lugar, não aqui onde você está. Ele com certeza existe, mas não neste momento no tempo — não agora, mas em outro lugar. Ele existe então, lá, nunca aqui e agora. Ele continua importunando você, continua puxando você, empurrando você. Ele continua atirando você ao encontro de mais e mais loucuras; ele deixa você louco. E nunca é concluída.

Ouvi falar de uma mulher, Rabia al-Adawia, profundamente versada no misticismo sufi.

Uma noite, as pessoas a encontraram sentada na rua procurando alguma coisa. Ela era uma mulher idosa, os olhos dela estavam fracos e ela enxergava com dificuldade. Então os vizinhos foram ajudá-la. Eles perguntaram:

— O que você está procurando?

Rabia respondeu:

— Isso não tem importância. Estou procurando... se puderem me ajudar, ajudem.

Eles riram e disseram:

— Rabia, você ficou louca? Você diz que não tem importância, mas se não soubermos o que vamos procurar, como poderemos ajudar?

— Está bem — admitiu Rabia. — Apenas para satisfazer vocês, estou procurando a minha agulha. Eu perdi a minha agulha.

Os vizinhos começaram a ajudá-la, mas logo chegaram à conclusão de que a rua era muito grande e uma agulha era uma coisa muito minúscula.

Então voltaram a questionar Rabia:

— Vamos, diga onde perdeu a agulha... o lugar exato, preciso... ou então vai ser difícil encontrá-la. A rua é grande e podemos continuar procurando para sempre. Onde você perdeu a agulha?

Rabia respondeu:

— De novo a sua pergunta não tem importância. Como ela tem a ver com a minha busca?

Eles pararam e protestaram:

— Com toda a certeza, você ficou louca!

Rabia defendeu-se:

— Está bem, só para satisfazer vocês, eu perdi a minha agulha em casa.

— Mas então por que está procurando aqui? — surpreenderam-se os vizinhos.

Diz-se que Rabia respondeu:

— Porque aqui tem mais luz e lá dentro está escuro.

O sol estava se pondo e a rua ainda continuava um pouco iluminada...

Esta parábola é muito importante. Alguma vez você já se perguntou sobre o que está procurando? Alguma vez você já meditou profundamente para saber o que está buscando? Não. Mesmo se em alguns momentos vagos, momentos de sonho, você tiver uma vaga idéia do que está buscando, essa idéia nunca é precisa; ela nunca é exata. Você ainda não a definiu.

Se você tentar definir essa idéia, quanto mais ela se tornar definida, mais você vai sentir que não existe necessidade de ir atrás dela. A busca pode continuar apenas num estado de imprecisão, num estado de sonho;

quando as coisas não estão claras, você simplesmente continua procurando, empurrado por algum impulso interior, impulsionado por uma certa urgência interior. Uma coisa você sabe: você precisa procurar. Essa é uma necessidade interior. Mas você não sabe o que está procurando. E a menos que saiba o que está procurando, como poderá encontrar?

O que você procura é algo vago — você pensa que é dinheiro, poder, prestígio, respeito. Mas então você vê pessoas que são respeitadas, pessoas que são poderosas, e elas também estão procurando algo. Então você vê pessoas que são tremendamente ricas e elas também estão buscando; até mesmo no fim da vida, elas continuam buscando. Assim, a riqueza não vai ajudar, o poder não vai ajudar. A busca continua a despeito do que você tenha.

A busca deve ser por alguma outra coisa. Esses nomes, esses rótulos — dinheiro, poder, prestígio — são coisas apenas para satisfazer a sua mente. Elas são apenas para ajudar você a sentir que está procurando alguma coisa. Essa alguma coisa ainda é indefinida, uma sensação muito vaga.

A primeira coisa que aquele que verdadeiramente busca deve fazer — aquele que se tornou um pouco alerta, consciente — é definir a busca, formular um conceito bastante claro do que vem a ser o objetivo da busca, para tirá-lo da consciência sonhadora, para encontrá-lo em profunda vigilância, para observá-lo diretamente; para encará-lo de frente. Imediatamente, começa a ocorrer uma transformação. Ao começar a definir o seu objetivo, você começa a perder o interesse pela busca. Quanto mais definida se torna a busca, menos ela parece fazer sentido. Quando se torna bem conhecida, de repente ela desaparece. Ela existe apenas quando você não está atento.

Vamos repetir: a busca só existe quando você está dormindo. A busca só existe quando você não está atento; a busca só existe quando você está inconsciente. A inconsciência cria a busca.

Sim, Rabia está certa. Dentro não existe luz — e por não existir luz nem consciência internamente, é claro que você continua procurando do lado de fora, porque do lado de fora parece mais claro.

Os nossos sentidos são todos extrovertidos. Os olhos abrem para fora, as mãos se movem e abrem para fora, as pernas se movem no exterior, as orelhas ouvem os ruídos e os sons do exterior. Tudo o que se apresenta a você se abre para fora; todos os cinco sentidos se orientam de maneira extrovertida. Você começa buscando lá — onde você vê, sente, toca. A luz dos sentidos se projeta do lado de fora, e o buscador está dentro.

Essa dicotomia tem de ser entendida. O buscador está dentro — mas, porque a luz está do lado de fora, o buscador começa a agir de maneira pretensiosa, tentando encontrar do lado de fora algo que seja satisfatório. Isso nunca vai acontecer — nunca aconteceu. Não pode acontecer na natureza das coisas porque, a menos que você tenha visto o buscador, toda a sua busca não tem sentido. A menos que você venha a saber quem você é, tudo o que você busca é fútil, porque você não conhece o buscador. Sem conhecer o buscador, como é que você pode seguir para a dimensão correta, na direção certa? É impossível. As coisas mais importantes devem ser consideradas em primeiro lugar.

Então, essas duas coisas são muito importantes: em primeiro lugar, deixar absolutamente claro para você qual é o seu objetivo. Não continue simplesmente tateando no escuro. Concentre a sua atenção no objetivo: o que você realmente está procurando? Porque às vezes você quer uma coisa e continua buscando outra coisa; portanto, mesmo que seja bem-sucedido, você não ficará satisfeito. Você já viu pessoas que foram bem-sucedidas? Você consegue encontrar fracassos maiores em qualquer lugar? Você já ouviu o provérbio segundo o qual nada é mais bem-sucedido do que o sucesso? Isso está absolutamente errado. Eu gostaria de lhe dizer que nada fracassa mais do que o sucesso. O provérbio deve ter sido inventado por pessoas estúpidas — nada fracassa mais do que o sucesso.

Dizem que Alexandre, o Grande, no dia em que se tornou o conquistador do mundo, fechou a porta do quarto em que estava e começou a chorar. Eu não sei se isso realmente aconteceu ou não, mas se ele fosse ao menos um pouco inteligente isso deve ter acontecido. Os generais dele ficaram muito perturbados: o que teria acontecido? Eles nunca tinham visto Alexandre chorar. Ele não era desse tipo de homem; era um grande guerreiro. Eles o haviam visto em grandes dificuldades, em situações em que sua vida estivera correndo muito perigo, em que a morte era iminente, e eles nunca o viram com lágrimas nos olhos. Eles nunca o viram em um momento tão desesperado, tão desamparado. O que havia acontecido com ele agora... quando era bem-sucedido, quando era o conquistador do mundo?

Eles bateram na porta, entraram e perguntaram:

— O que aconteceu com você? Por que está chorando feito uma criança?

Alexandre respondeu:

— Agora que fui bem-sucedido, sei que fui um fracasso. Agora sei que estou exatamente no mesmo lugar em que estava quando comecei esta absurda conquista do mundo. E tudo ficou claro para mim agora porque não há outro mundo a ser conquistado; do contrário eu teria continuado o caminho, eu teria começado a conquistar outro mundo. Agora que não há outro mundo a conquistar, agora não há mais nada a fazer e, de repente, eu sou atirado contra mim mesmo.

Um homem de sucesso é sempre atirado contra si mesmo no final, e então ele sofre as torturas do inferno porque desperdiçou toda a sua vida. Ele buscou e buscou, apostou tudo o que tinha. Agora que alcançou o sucesso, seu coração está vazio, sua alma não faz sentido, não existe graça, não existe bênção.

Portanto, a primeira coisa é saber exatamente o que você está buscando. Eu insisto nesse ponto — porque, quanto mais você concentra os olhos no objetivo que busca, mais o objetivo tende a desaparecer. Quando os seus olhos estão absolutamente fixos, de repente não existe nada a buscar; imediatamente, os seus olhos começam a se voltar para você mesmo. Quando não existe um objetivo a buscar, quando todos os objetivos desapareceram, resta o vazio. Nesse vazio está a conversão, o retorno. De repente, você começa a olhar para si mesmo. Agora não há nada a buscar e surge um novo desejo de conhecer esse buscador.

Se existe alguma coisa a buscar, você é um homem mundano. Se não há nada a buscar, e a pergunta "Quem é esse buscador?" tornou-se importante para você, então você é um homem religioso. Essa é a maneira como eu defino o mundano e o religioso. Se você ainda está buscando alguma coisa — quem sabe na outra vida, na outra praia, no céu, no paraíso, não faz diferença — você ainda é um homem mundano. Se todas as buscas cessarem e você de repente tomar consciência de que agora só existe uma coisa a saber — "Quem é esse buscador em mim? O que é essa energia que quer buscar? Quem sou eu?" — então haverá uma transformação. Todos os valores mudarão de repente. Você começará a se voltar para dentro. Então Rabia não estará mais sentada na rua procurando uma agulha que foi perdida em outro lugar no escuro da alma dela.

Depois que você começou a se voltar para dentro... No início é muito escuro — Rabia está certa, é muito, muito escuro. Porque por várias vidas seguidas você nunca se voltou para dentro, os seus olhos estavam concentrados no mundo exterior. Você o espreitou? Observou? Às vezes, quando você vem da rua, onde está muito ensolarado e o sol está quente e há muita luz, quando você entra de repente na sala ou em casa, está muito escuro — porque os olhos estão focalizados na luz de fora, prontos para ver muita luz. Quando há muita luz, os olhos se contraem. No escuro, os olhos têm de relaxar; o escuro requer uma abertura maior. Na luz, uma abertura menor é suficiente. É assim que funciona uma câmara fotográfica e é como os seus olhos funcionam; a câmara fotográfica foi inventada nos mesmos moldes do olho humano.

Portanto, quando você entra de repente vindo de fora, a sua própria casa parece escura. Mas se você se sentar por algum tempo, pouco a pouco a escuridão desaparecerá. Existe mais luz; os seus olhos se ajustam. Por muitas vidas seguidas você esteve fora no sol quente, no mundo; portanto, ao entrar, você se esquece completamente de como entrar e reajustar os seus olhos. A meditação não é outra coisa a não ser um reajuste da sua visão, um reajuste da sua faculdade de ver, dos seus olhos.

Na Índia, é isso que se chama de terceiro olho. Ele não é um olho em qualquer lugar; é um reajuste, um reajuste total da sua visão. Pouco a pouco, a escuridão não é mais escura. Uma luz sutil, difusa, começa a ser sentida. E se você continuar a olhar para dentro — e isso leva tempo — gradualmente, vagarosamente, você começa a sentir uma bela luz dentro de você. Não se trata de uma luz agressiva; não é como o sol; é mais parecida com a lua. Não é resplandecente, não é deslumbrante; é muito fria. Não é quente; é muito compassiva, é muito suave, é um bálsamo.

Pouco a pouco, quando tiver se ajustado à luz interior, você verá que você é a própria fonte de luz. O buscador é o que é visto. Então você verá que o tesouro está dentro de você, e todo o problema era que você estava buscando do lado de fora. Você estava buscando em outro lugar fora de você, e tudo sempre esteve dentro de você. Esteve sempre ali, dentro de você. Você estava buscando na direção errada; isso é tudo.

Tudo está disponível a você tanto quanto está disponível a qualquer um, tanto quanto está disponível a Buda, a Baal-Shem, a Moisés, a Maomé. Está tudo disponível a você; só que você está olhando na direção errada. No que se refere ao tesouro, você não é mais pobre que Buda ou Maomé — não, Deus nunca criou um homem pobre. Como poderia Deus criar um homem pobre? Você é o transbordamento dele, você faz parte da vida — como você pode ser pobre? Você é rico, infinitamente rico — tão rico quanto a própria natureza.

Mas você está olhando na direção errada. A direção está errada; é por isso que você continua perdido. E não é que você não vá ser bem-sucedido na vida — você pode ser bem-sucedido. Mas ainda assim será um fracasso. Nada vai satisfazer você porque nada que esteja ligado ao mundo exterior pode ser comparável ao tesouro interior, à luz interior, à bênção interior. ¤

O CONHECIMENTO DE SI MESMO SÓ É POSSÍVEL NA MAIS COMPLETA SOLIDÃO. Comumente, tudo o que sabemos sobre nós mesmos é a opinião dos outros. Eles dizem "você é bom", e achamos que somos bons. Eles dizem "você é bonito", e achamos que somos bonitos. Eles dizem "você é mau" ou feio... tudo o que as pessoas dizem a nosso respeito nós continuamos colecionando. Isso se torna a nossa própria identidade, mas é completamente falso, porque ninguém pode conhecer você — ninguém pode saber quem você é a não ser você, você mesmo. Tudo o que as pessoas conhecem são apenas aspectos e esses aspectos são muito superficiais. Tudo o que elas conhecem são apenas humores momentâneos; as pessoas não podem entrar no seu âmago. Nem mesmo a pessoa amada pode penetrar no verdadeiro âmago do seu ser. Ali você é completamente só e apenas ali será possível saber quem você é.

As pessoas passam a vida inteira acreditando no que os outros dizem, dependendo dos outros. É por isso que as pessoas têm tanto medo da opinião alheia. Se eles pensam que você é mau, você se torna mau. Se eles censuram você, você começa a se censurar. Se dizem que você é um pecador, você começa a se sentir culpado. Por ter de depender da opinião deles, você tem de se conformar o tempo todo com as idéias deles; do contrário, eles vão mudar de opinião. Isso cria uma escravidão, uma escravidão muito sutil. Se você quer ser conhecido como bom, merecedor, bonito, inteligente, então você tem de se render, tem de se comprometer o tempo todo com as pessoas de quem depende.

E aparece outro problema. Por existirem tantas pessoas, elas continuam alimentando a sua mente com diversos tipos de opiniões — opiniões conflitantes também. Uma opinião contradizendo outra opinião;

daí porque existe uma grande confusão dentro de você. Uma pessoa diz que você é muito inteligente, outra pessoa diz que você é idiota. Como se decidir? Então você fica dividido. Você começa a desconfiar de si mesmo, sobre quem você é... um hesitante. E a complexidade é muito grande porque existem milhares de pessoas ao seu redor.

Você entra em contato com muitas pessoas e todo mundo alimenta a sua mente com as próprias idéias. E ninguém conhece você — nem mesmo você se conhece — portanto, toda essa coleção se torna uma desordem dentro de você. Essa é uma situação enlouquecedora. Você tem muitas vozes dentro de si. Sempre que você se pergunta quem é, surgem muitas respostas. Algumas respostas são da sua mãe, algumas do seu pai, algumas do seu professor e assim por diante, e é impossível decidir quem tem a resposta certa. Como se decidir? Qual é o critério? É aí que o homem se perde. Isso é ignorância de si mesmo.

No entanto, por depender dos outros, você tem medo de ficar sozinho — porque, no momento em que começa a ficar sozinho, você começa a ter muito medo de se perder. Você, antes de mais nada, não tem a si mesmo; mas qualquer que seja o eu que você tenha criado a partir da opinião dos outros terá de ser deixado para trás. Portanto, entrar é muito assustador. Quanto mais fundo você vai, menos sabe quem você é. Assim, na verdade, quando toma a direção do conhecimento de si mesmo, antes que isso aconteça, você terá de abandonar todas as idéias sobre o eu. Haverá uma lacuna, haverá uma espécie de vazio. Você vai se tornar um não-ser. Você estará completamente perdido porque tudo o que sabe não é mais importante, e o que é relevante você não sabe ainda.

Os místicos cristãos chamam a isso de "a noite escura da alma". Você tem de passar por ela e, depois de ter passado, virá o amanhecer. O sol se levanta e a pessoa começa a se conhecer pela primeira vez. Depois do primeiro raio de sol, tudo terá sido cumprido. Depois dos primeiros cantos dos pássaros da manhã, tudo terá sido conseguido.

SEJA AUTÊNTICO

Sinceridade significa autenticidade — ser sincero, não ser falso, não usar máscaras. Qualquer que seja o seu rosto verdadeiro, mostre-o, custe o que custar.

Lembre-se: isso não significa que você tenha de desmascarar os outros; se eles estão felizes com as mentiras deles, compete a eles se decidir. Não saia desmascarando ninguém, porque as pessoas são como são — elas dizem que têm de ser verdadeiras, autênticas; elas entendem que têm de sair desnudando todo mundo, pois "por que você está escondendo o seu corpo? Essas roupas não são necessárias". Não. Por favor, lembre-se: seja verdadeiro consigo mesmo. Não é preciso que você corrija ninguém no mundo. Se você puder crescer sozinho, será o bastante. Não seja um reformador e não tente dar lições aos outros, não tente mudar os outros. Se *você* mudar, será o bastante como mensagem.

Ser autêntico significa permanecer verdadeiro consigo mesmo. Como permanecer verdadeiro? Lembre-se sempre de três regras. Uma, nunca dê ouvidos a ninguém quando dizem o que você deve ser. Ouça sempre a sua voz interior, o que você gostaria de ser; do contrário, vai desperdiçar a sua vida inteira. A sua mãe quer que você seja engenheiro, o seu pai quer que você seja médico e você quer ser poeta. O que fazer? É claro que a mãe está certa porque é mais conveniente, econômica e financeiramente, ser engenheiro. O pai também está certo: ser médico é um bom produto no mercado, tem valor de mercado. Um poeta? Você ficou louco? Está maluco? Os poetas são pessoas amaldiçoadas. Ninguém os quer. Eles não são necessários a ninguém; o mundo pode existir sem poesia — não haverá problemas só porque não existe poesia. O mundo não pode existir sem engenheiros; o mundo precisa de engenheiros. Se você é necessário, então tem valor. Se você não é necessário, não tem valor nenhum.

Mas, se você quer ser poeta, seja um poeta. Pode ser que se torne um mendigo — ótimo. Você pode não ficar muito rico com isso, mas não se preocupe — porque do contrário você pode se tornar um grande engenheiro, ganhar muito dinheiro, mas nunca encontrará satisfação em nada. Você vai estar sempre ansiando por alguma coisa; o seu ser interior vai querer ser poeta.

Ouvi dizer que certa vez perguntaram a um grande cientista, um cirurgião que ganhou um Prêmio Nobel:

— Quando o informaram de que havia ganho o Prêmio Nobel, o senhor não pareceu muito feliz. Qual é o problema?

Ele respondeu:

— Eu sempre quis ser um bailarino. Antes de mais nada, nunca quis ser um cirurgião, e agora não só me tornei um cirurgião, como me tornei um cirurgião muito bem-sucedido e isso é um fardo. Eu só queria ser bailarino e continuar sendo um simples bailarino; essa é a minha dor, a minha angústia. Sempre que vejo alguém dançando, eu fico triste, é um inferno. O que eu vou fazer com esse Prêmio Nobel? Ele não pode se transformar num balé para mim, ele não pode me dar a dança.

Lembre-se, seja sincero com a sua voz interior. Ela pode levar você de encontro ao perigo; então vá de encontro ao perigo, mas continue sendo sincero com a sua voz interior. Depois, existe a possibilidade de que um dia você chegue a um estado em que pode dançar de satisfação interior. .

Preste sempre atenção: a coisa mais importante é o seu ser. Não deixe que os outros manipulem e controlem você — e eles são muitos; todo mundo está pronto para controlar você, todo mundo está pronto para mudar você, todo mundo está pronto para lhe dar uma orientação que você não pediu. Todo mundo quer ser o guia da sua vida. O guia existe dentro de você; você tem o plano.

Ser autêntico significa ser sincero consigo mesmo. Esse é um fenômeno muito, muito perigoso; raras pessoas conseguem isso. Mas sempre que as pessoas são assim, elas conseguem o que querem. Elas atingem uma tal beleza, uma tamanha graça, tanto contentamento que você nem pode imaginar.

O motivo pelo qual todo mundo parece tão frustrado é que ninguém ouve a própria voz. Você queria se casar com uma garota, mas a garota era muçulmana e você era um brâmane hinduísta; os seus pais não permitiriam. A sociedade não aceitaria, seria perigoso. A garota era pobre e você era rico. Portanto, você se casou com uma mulher rica, hinduísta, da casta brâmane, aceita por todos mas não pelo seu coração. Portanto, hoje você tem uma vida horrível. Hoje você procura as prostitutas — mas até mesmo as prostitutas não podem ajudá-lo; você prostituiu toda a sua vida. Você desperdiçou a sua vida inteira.

Ouça sempre a sua voz interior, e não ouça mais nada. Existem mil e uma tentações ao seu redor, porque muitas pessoas estão mascateando as suas coisas. É um supermercado; o mundo, e todo mundo nele está interessado em vender as próprias coisas a você. Todo mundo é um vendedor. Se der ouvidos a muitos vendedores, você vai ficar louco. Não dê ouvidos a ninguém, simplesmente feche os olhos e ouça a sua voz interior. É para isso que existe a meditação: para ouvir a voz interior. Essa é a regra mais importante.

A segunda regra mais importante — só se você cumprir a primeira regra poderá cumprir a segunda — nunca use uma máscara. Se estiver com raiva, mostre a sua raiva. É perigoso, mas não sorria, porque isso é ser falso. Mas lhe ensinaram que, quando você está com raiva, deve sorrir. Então o seu sorriso torna-se falso, uma máscara — simplesmente um movimento dos lábios e nada mais. O coração cheio de raiva, veneno, e os lábios sorrindo; você se torna um prodígio de falsidade.

Então também se manifesta uma outra reação: quando você quer sorrir, não consegue sorrir. Todo o seu mecanismo está de cabeça para baixo porque, quando queria ficar com raiva, você não ficava; quando queria odiar você não odiava. Então você quer amar; de repente, você descobre que o mecanismo não funciona. Então você quer sorrir; você precisa forçar o sorriso. Realmente, o seu coração é todo sorrisos e você quer dar uma boa risada, mas não consegue rir. Alguma coisa sufoca no seu coração, alguma coisa engasga na sua garganta. O sorriso não sai, ou até mesmo, se sair, será um sorriso apagado e sem graça. Ele não deixa você feliz, você não se entusiasma com ele. Você não irradia nada.

Quando quiser ficar com raiva, fique com raiva. Não há nada errado em ficar com raiva. Se quiser rir, ria. Não há nada errado em dar uma risada. Pouco a pouco, você vai ver que todo o seu organismo voltou a funcionar direito. Quando o organismo funciona realmente, ele produz um zumbido característico. Assim como um carro, quando tudo está em ordem, zumbe — o motorista que adora carros sabe que tudo está funcionando bem, que existe uma unidade estrutural; o mecanismo está funcionando bem.

Você pode ver — sempre que o mecanismo de uma pessoa está funcionando bem, você pode ouvir o zumbido dela. Ela caminha, mas o andar é como passos de dança. Ela fala, mas as palavras parecem sugerir uma poesia. Ela olha para você e olha de verdade; não se trata apenas de um olhar indiferente; existe uma diferença. Quando ela toca você, ela realmente toca; você sente a energia dela entrar no seu corpo, uma corrente de vida sendo transferida... porque o mecanismo dela está funcionando bem.

Não use máscaras; do contrário, você vai criar disfunções no seu mecanismo, bloqueios. Existem muitos bloqueios no seu corpo. A pessoa que reprime a raiva fica com a mandíbula bloqueada. Toda a raiva vai para a mandíbula e pára ali. As mãos ficam feias; elas não têm o movimento gracioso de um bailarino, não, porque a raiva chega aos dedos e os bloqueia. Lembre-se, a raiva tem duas saídas para ser liberada — uma são os dentes, a outra são os dedos. Todos os animais, quando estão com raiva, mordem com os dentes ou atacam com as patas. Portanto, as unhas e os dentes são dois pontos por onde a raiva é liberada.

Eu desconfio que a maioria das vezes que as pessoas têm problemas dentários é por causa da raiva reprimida. Os dentes delas têm problemas porque se acumula muita energia neles, uma energia que nunca é liberada. E todo mundo que reprime a raiva acaba comendo mais — a pessoa com raiva sempre come mais, porque os dentes precisam de exercício. A pessoa com raiva fuma mais. A pessoa com raiva fala mais — ela pode se tornar um falante obsessivo, porque de algum modo a mandíbula precisa de exercício para que um pouco mais de energia seja liberada. E as mãos da pessoa com raiva ficam feias, nodosas. Se ela tivesse liberado a energia, as suas mãos poderiam ter ficado mais bonitas.

Se você reprime alguma coisa, existe no seu corpo alguma parte correspondente à emoção. Se você não quer chorar, os seus olhos vão perder o brilho... porque as lágrimas são necessárias; elas são um fenômeno muito vivo. Quando uma vez ou outra você deixa as lágrimas correrem — quando você realmente chora, você chora de verdade, e as lágrimas começam a correr dos seus olhos — os seus olhos se limpam, se revigoram, recuperando a juventude e a pureza.

É por isso que as mulheres têm olhos mais bonitos, porque elas ainda choram. Os homens perderam a beleza dos olhos porque desenvolveram a noção errada de que não devem chorar. Se alguém, um menino chora, até mesmo os pais, os outros, dizem: "O que você está fazendo? Está ficando afeminado?" Que absurdo! Porque Deus deu a todos — homem e mulher — as mesmas glândulas lacrimais. Se não fosse para os homens chorar, eles não teriam glândulas lacrimais, esta é uma simples questão matemática. Por que as glândulas lacrimais existem nos homens na mesma proporção que existem nas mulheres? Os olhos precisam chorar e derramar lágrimas, e é realmente bonito se você puder chorar e deixar as lágrimas rolarem sinceramente.

Lembre-se: se não puder chorar sinceramente, você também não poderá rir, porque essa é a outra polaridade. As pessoas que conseguem rir também conseguem chorar; as pessoas que não conseguem chorar não conseguem rir. E você deve ter observado isso nas crianças; quando elas riem por muito tempo, elas começam a chorar — porque as duas coisas estão ligadas. Nas cidades eu ouvi as mães dizendo aos filhos: "Não riam muito; do contrário, vão começar a chorar." O que é verdade, porque os fenômenos não são diferentes; simplesmente; trata-se da mesma energia que se desloca para pólos opostos. Portanto, esta é a segunda regra: não use máscaras — seja sincero custe o que custar.

E a terceira regra sobre a autenticidade... permaneça sempre no presente, porque tanto do passado quanto do futuro é que vêm todas as falsidades. Porque o que passou, passou; não se preocupe com isso e não o carregue como um fardo; do contrário, isso não vai permitir que você seja autêntico em relação ao presente. E tudo o que não aconteceu ainda não aconteceu. Não se incomode sem necessidade com o futuro; do contrário ele cairá sobre o presente e o destruirá. Seja verdadeiro em relação ao presente; então, você será autêntico. Estar aqui e agora é ser autêntico. Nem passado, nem futuro — o momento é tudo. O momento é a eternidade inteira.

Siga essas três regrinhas e você vai conseguir ser sincero, verdadeiro, autêntico. Então, tudo o que você disser será verdade. Comumente, você pensa que precisa tomar cuidado para dizer a verdade; não é isso o que eu estou dizendo. Estou dizendo: crie a autenticidade e tudo o que você disser será verdade. ¤

A VERDADE NÃO É UMA COISA LÓGICA. Eu não estou me referindo à verdade como uma conclusão a que se chegou por lógica, por métodos racionais. Por verdade eu quero dizer a autenticidade do ser; sem impor nada que você não seja, apenas sendo o que você é, independentemente dos riscos, nunca se tornando um hipócrita. Se você está triste, fique triste. Essa é a verdade no momento; não a esconda. Não exiba um sorriso falso no rosto, porque esse sorriso falso vai criar uma divisão em você. Você vai se dividir em dois — uma parte de você estará sorrindo, e é claro que será a parte menor; a parte principal continuará triste. Então terá surgido uma divisão, e se você continuar repetindo a dose...

Quando você está com raiva e não demonstra a raiva... é porque tem medo de que essa demonstração prejudique a sua imagem, porque as pessoas pensam que você é compreensivo e dizem que você nunca fica com raiva. Elas gostam disso e isso é tão gratificante para o ego. Agora, ficar com raiva vai prejudicar a sua linda imagem; assim, em vez de prejudicar a imagem, você reprime a raiva. Você está fervendo por dentro, mas por fora continua compreensivo, bondoso, polido, doce. Aí aconteceu a divisão. As pessoas produzem essa divisão durante a vida inteira; então a divisão se torna absolutamente estabelecida. Mesmo quando você está sentado sozinho e não há ninguém por perto, e não há necessidade de fingir, você continua fingindo; isso se tornou um hábito arraigado e automático. As pessoas não são verdadeiras nem mesmo no banheiro; mesmo quando estão completamente sozinhas elas são falsas. Então, não é uma questão de ser verdadeiro ou falso; isso acabou por se tornar um hábito. Durante a vida inteira elas agiram assim e, quanto mais você pratica, cada vez mais a distância entre as duas partes vai aumentando.

Quando essa divisão se torna incontrolável, nós a chamamos de esquizofrenia. Quando você não consegue entrar em contato com a sua outra parte, você quase se torna duas pessoas em lugar de uma, então essa é uma doença mental grave. Mas todo mundo é dividido; assim, a diferença entre o esquizofrênico e o normal é apenas de grau. Seu fundamento não tem muito a ver com a qualidade, mas mais com a quantidade.

Por verdadeiro eu quero dizer não fingir. Seja exatamente o que você é — num momento você está triste, portanto, nesse momento, você é triste. E no momento seguinte, se você ficar feliz, não há necessidade de continuar triste — porque também lhe ensinaram a ser sempre coerente, a permanecer coerente. Acontece, você pode observar — você estava triste e de repente a tristeza foi embora, mas você não consegue sorrir imediatamente, pois o que as pessoas iriam pensar? Você está louco? Há pouco você estava triste, agora você está rindo? Só os loucos ou as criancinhas fazem isso; não é o que se espera de você. Você vai ter de esperar por uma determinada situação em que, devagar, bem devagar, você possa relaxar e começar a sorrir e a rir de novo.

Assim, não é só quando está triste que você finge sorrisos; quando você quer sorrir, também finge a tristeza por causa da idéia completamente estúpida de permanecer coerente. Cada momento tem a sua característica peculiar, e nenhum momento precisa ser coerente com nenhum outro momento. A vida é um fluxo, é um rio; ele segue em frente mudando seus humores. Assim, não é preciso se preocupar com a coerência. Ninguém que se preocupe com a coerência vai se tornar falso porque apenas mente com coerência. A verdade está sempre mudando. A verdade contém as suas próprias contradições — e essa é a substância da verdade, essa é a sua vastidão, essa é a sua beleza.

Portanto, se você está se sentindo triste, fique triste — sem nenhuma censura, sem nenhuma avaliação como sendo bom ou mau. Não se trata de ser bom ou mau; isso simplesmente acontece. E quando acontece, deixe acontecer. Quando você começar a sorrir de novo, não se sinta culpado só porque há pouco estava triste; então, como pode sorrir? Espere alguém fazer um gracejo, deixe alguém quebrar o gelo e então sorria; espere pelo momento certo. Isso continua sendo hipocrisia. Quando estiver feliz, seja feliz; não há necessidade de fingir nada.

E lembre-se: cada momento tem uma realidade atômica; ele é descontínuo em relação ao momento anterior e não está ligado ao momento futuro. Cada momento é atômico. Os momentos não se seguem uns aos outros em seqüência; eles não são lineares. Cada momento tem a sua própria maneira de ser e você deve ser isso, nesse momento, nada mais. É isso o que realmente é considerado como verdade.

Verdade significa autenticidade, verdade significa sinceridade. A verdade não é uma coisa lógica. Ela é um estado psicológico de ser verdadeiro — não verdadeiro de acordo com algum ideal, pois, se houver um ideal, você vai se tornar falso. Se você pensa que ser como Buda é ser verdadeiro, então você nunca será verdadeiro, porque você *não* é um Buda e estará impondo o Buda a si mesmo. Você pode sentar-se como Buda, quase pode se tornar uma estátua de mármore, mas no fundo continua o mesmo. O Buda será apenas uma postura. E se você tem um ideal, não pode ser verdadeiro no momento, porque o ideal está sempre lá e você tem de imitar o ideal.

O homem verdadeiro não tem ideais. Ele vive momento a momento; ele sempre vive como se sente no momento. Ele é completamente respeitoso em relação aos próprios sentimentos, às próprias emoções, aos próprios humores. E isso é o que eu quero que as pessoas sejam: autênticas, verdadeiras, sinceras, respeitosas em relação à própria alma.

OUÇA A SI MESMO

~≈~

Ouça sempre os seus próprios sentimentos; não há necessidade de procurar ao redor. E ao observar as pessoas, você não pode ver exatamente o que está acontecendo a elas porque o rosto delas não expressa a realidade delas, assim como o seu rosto não expressa a sua realidade. A aparência exterior delas não expressa o interior delas, assim como a sua aparência externa não expressa o seu interior.

Essa é toda a hipocrisia da sociedade — não mostrar o seu interior, o seu âmago, a sua verdadeira face. Esconda-a. Mostre-a apenas a alguém que seja muito íntimo e que irá entender. Mas quem é íntimo? Até mesmo as pessoas que se amam não mostram o seu rosto um ao outro. Porque ninguém conhece ninguém, nesse momento alguém é uma pessoa amada, no momento seguinte pode não ser. Assim, cada pessoa torna-se como uma ilha, fechada.

Não observe os outros, observe a si mesmo. E deixe aparecer o que há dentro de você, não importa o risco. Não existe risco maior do que a repressão. Se você reprime, perde todo o prazer pela vida, todo o entusiasmo. Você perderá a vida inteira se continuar se reprimindo. Isso é tóxico; isso envenena o ser.

OUÇA A SI MESMO

Ouça o seu coração, e ponha para fora tudo o que existir lá. Logo você vai se tornar eficiente em pôr para fora e vai gostar disso. E depois de saber como ser verdadeiro é tão bonito, você nunca mais vai querer ser falso. Continuamos nos decidindo por ser falsos porque nunca testamos a verdade. Desde a mais tenra infância, a verdade foi reprimida. Antes de uma criança tomar consciência do que é real, verdadeiro, ela já aprendeu a reprimi-lo. De modo inconsciente, mecânico, ela continua se reprimindo sem saber o que está fazendo.

Seja verdadeiro consigo mesmo — não existe outra responsabilidade. É preciso ser responsável em relação ao próprio ser. Você responde pelo seu ser e Deus não lhe pergunta por que você foi outra pessoa.

Existe uma história de que quando o místico hassídico Josias estava morrendo, alguém lhe perguntou por que ele não rezava para Deus e se ele tinha certeza de que Moisés seria uma testemunha em seu favor. Ele respondeu: "Vou lhe dizer uma coisa. Deus não vai me perguntar por que eu não sou um Moisés. Ele vai me perguntar por que eu não sou um Josias."

Esse é todo o problema: como ser alguém. E se você conseguir resolvê-lo, então todos os outros problemas deixarão de ser problemas. Então a vida é um lindo mistério a ser vivido — não um problema a ser resolvido, mas apenas a ser vivido e desfrutado.

CONFIE EM SI MESMO

confiança é possível apenas se, em primeiro lugar, você confiar em si mesmo. A coisa mais fundamental tem de acontecer dentro de você em primeiro lugar. Se você confiar em si mesmo, poderá confiar em mim, poderá confiar nas pessoas, poderá confiar na vida. Mas, se você não confiar em si mesmo, então nenhuma outra confiança será possível.

E a sociedade destrói a confiança nas próprias raízes. Ela não permite que você confie em si mesmo. Ela ensina todos os outros tipos de confiança — confiança nos pais, confiança na igreja, confiança no Estado, confiança em Deus, *ad infinitum*. Mas a confiança básica é completamente destruída. E então todas as outras confianças são uma falsificação, destinam-se a ser uma falsificação. Então todas as outras confianças não passam de flores de plástico. Você não tem raízes verdadeiras para que flores de verdade cresçam.

A sociedade faz isso deliberadamente, de propósito, porque o homem que confia em si mesmo é perigoso para a sociedade — uma sociedade que depende da escravidão, uma sociedade que investiu demais na escravidão. Um homem que confia em si mesmo é um homem independente. Você não pode fazer previsões a respeito dele; ele vai agir por conta própria. A liberdade será a sua vida. Ele vai confiar quando sentir, quando amar, e então a confiança dele terá uma intensidade e uma verdade enormes em si mesma. Então a confiança dele será viva e autêntica. E ele estará pronto para arriscar tudo pela sua verdade — mas apenas quando ele sentir, apenas quando for verdade, apenas quando o coração dele for tocado, quando ela tocar a sua inteligência e o seu amor; do contrário, não. Você não pode forçá-lo a nenhum tipo de crença.

Esta sociedade depende da crença. Toda a estrutura dela baseia-se na auto-hipnose. Toda a estrutura dela baseia-se na criação de robôs e de máquinas, não de homens. Ela precisa de pessoas dependentes — a tal ponto que elas estejam constantemente necessitando ser tiranizadas; a tal ponto que elas estejam buscando e procurando os seus próprios tiranos, os seus próprios Adolfs Hitlers, os seus próprios Mussolinis, os seus próprios Josefs Stalins e Maos Tsé-tungs. Esta terra, esta linda terra, nós convertemos numa linda prisão. Umas poucas pessoas poderosas reduziram toda a humanidade a uma gentalha. O homem só recebe permissão para existir se se comprometer com todos os tipos de absurdos.

Agora, pedir a uma criança para acreditar em Deus é um absurdo, o mais completo absurdo — não que Deus não exista, mas porque a criança ainda não sentiu essa necessidade, esse desejo, essa carência. Ela não está pronta para sair em busca da verdade, a verdade suprema da vida. Ela ainda não está madura o suficiente para indagar sobre a realidade da existência. Esse caso de amor tem de acontecer algum dia, mas só poderá acontecer se nenhuma crença lhe for imposta. Se ela for convertida antes que se manifeste a vontade de explorar e de saber, então toda a sua vida será vivida de maneira falsa; ela irá viver uma pseudovida.

Sim, a criança vai falar de Deus, porque ela ficou sabendo da existência de Deus. Ela ficou sabendo de maneira autoritária; ela foi informada por pessoas que eram muito poderosas na sua infância — os pais, os padres, os professores. Ela ficou sabendo por pessoas e acreditou; era uma questão de sobrevivência para ela. Ela não podia dizer não a seus pais, porque sem eles ela não seria capaz de viver. Era muito perigoso dizer não, ela tinha de dizer sim. Mas esse sim não podia ser verdadeiro.

Como poderia ser verdadeiro? Ela disse sim apenas como um expediente político, para sobreviver. Vocês não a converteram numa pessoa religiosa; vocês a converteram num diplomata, vocês criaram um político. Vocês sabotaram o potencial dela para se tornar um ser autêntico. Vocês a envenenaram. Vocês destruíram a própria possibilidade da inteligência dela, porque a inteligência surge apenas quando surge a vontade de aprender. Agora, a vontade nunca surge, porque, antes que a pergunta tomasse forma em sua alma, a resposta já havia sido dada. Antes que ela tivesse fome, o alimento entrou forçado dentro do seu ser. Agora, sem fome, esse alimento forçado não pode ser digerido; não há fome para digeri-lo. É por isso que as pessoas vivem como canos através dos quais a vida passa como um alimento não-digerido.

Deve-se ter muita paciência com as crianças; deve-se estar muito alerta, muito consciente para não dizer nada que possa impedir que a inteligência dela desperte; não convertê-las em cristãs, hinduístas ou muçulmanas. É preciso ter infinita paciência. Um dia o milagre acontece, quando a criança começa a perguntar por conta própria. Aí também não a encha de respostas prontas. As respostas prontas não ajudam ninguém; as respostas prontas são idiotas e estúpidas. Ajude a criança a se tornar mais inteligente. Em vez de lhe dar respostas, apresente-lhe situações e desafios, de modo que a inteligência dela se aguce e ela faça perguntas ainda mais profundas — de modo que a pergunta penetre no fundo do seu ser, e a pergunta se torne uma questão de vida ou morte.

Mas isso não é permitido. Os pais têm muito medo, a sociedade tem muito medo. Se permitirem que as crianças permaneçam livres, quem sabe? Elas podem nunca ir à congregação a que os pais pertencem, podem nunca ir à igreja — católica, protestante, esta ou aquela.

Quem sabe o que vai acontecer quando elas se tornarem inteligentes por conta própria? Elas não estarão sob o nosso controle. E esta sociedade entra cada vez mais fundo em políticas para controlar todo mundo, para possuir a alma de todo mundo.

É por isso que a primeira coisa que eles têm de fazer é destruir a verdade — a verdade da criança em si mesma, a confiança da criança em si mesma. Eles têm de torná-la insegura e medrosa. Uma vez que esteja trêmula, ela será controlável. Se ela for confiante, será incontrolável. Se for confiante, irá se afirmar sozinha, tentará fazer tudo por conta própria. Ela nunca vai querer fazer o que todo mundo faz. Ela seguirá o próprio caminho, não irá satisfazer os desejos de alguém por alguma viagem. Ela nunca será uma imitadora; nunca será uma idiota, uma pessoa morta. Ela será tão viva, tão pulsante quanto a vida, que ninguém será capaz de controlá-la.

Destrua a confiança da criança e você a terá castrado. Você tirou o poder dela; agora ela será sempre indefesa e sempre precisando que alguém a domine, dirija ou a comande. Agora ela será um bom soldado, um bom cidadão, um bom nacionalista, um bom cristão, um bom muçulmano, um bom hinduísta.

Sim, ela será todas essas coisas, mas não será uma pessoa de verdade. Ela não terá raízes; será desenraizada pelo resto da vida. Viverá sem raízes — e viver sem raízes é viver no infortúnio, é viver no inferno. Assim como as árvores precisam de raízes na terra, o homem também é uma árvore e precisa de raízes na vida ou, então, terá uma vida muito inconseqüente.

Ainda outro dia eu estava lendo uma história:

Três cirurgiões, velhos amigos, encontraram-se nas férias. Sentados sob o sol, na praia, começaram a se gabar. O primeiro disse:

— Encontrei um homem que havia perdido as duas pernas na guerra. Dei-lhe pernas artificiais e aconteceu um milagre. Agora ele se tornou um dos maiores corredores do mundo! É bem possível que venha a ser o campeão dos próximos Jogos Olímpicos.

O outro disse:

— Isso não é nada. Encontrei uma mulher que havia caído do trigésimo andar de um prédio: o rosto dela estava completamente desfigurado. Fiz um grande trabalho de cirurgia plástica. Outro dia, vim a saber pelos jornais que ela se tornou a rainha da beleza mundial.

O terceiro homem era uma pessoa humilde. Os outros dois voltaram-se para ele e perguntaram:

— E você, amigo, tem feito alguma coisa diferente?

O homem disse:

— Não muita coisa... Mas, acima de tudo, não posso falar nada sobre o assunto.

Os colegas ficaram mais curiosos. Eles não se contiveram:

— Mas nós somos amigos, podemos manter o seu segredo. Você não precisa se preocupar; nada do que disser vai vazar.

Depois de pensar longamente, o terceiro cirurgião acabou cedendo:

— Está bem, se vocês fizerem o que prometem. Outro dia, levaram um homem para mim: ele havia perdido a cabeça num acidente de carro. Eu não sabia o que fazer. Corri até o jardim para pensar melhor e, de repente, dei de cara com um repolho. Não encontrando coisa melhor, acabei transplantando o repolho no lugar da cabeça. E vocês querem saber de uma coisa? O homem tornou-se presidente dos Estados Unidos.

Você pode destruir a criança; ainda assim, ela pode se tornar presidente dos Estados Unidos. Não existe nenhuma impossibilidade hereditária de se tornar bem-sucedida sem inteligência. Na verdade, é mais difícil ser bem-sucedido com inteligência, porque a pessoa inteligente é criativa. Ela está sempre à frente da sua época; leva tempo para entendê-la.

A pessoa sem inteligência é entendida com facilidade. Ela se encaixa nas configurações da sociedade; a sociedade tem valores e critérios pelos quais julgá-la. Mas leva anos para a sociedade avaliar os seus gênios.

Não estou dizendo que uma pessoa que não tem inteligência não pode ser bem-sucedida, não pode ficar famosa — mas ainda assim ela continuará sendo uma falsificação. E essa é a desgraça: você pode ficar famoso, mas se você for uma farsa a sua vida será uma desgraça. Você não sabe quais bênçãos a vida despeja sobre você — e nunca vai saber. Você não tem inteligência suficiente para saber. Você nunca verá a beleza da vida, porque você não tem sensibilidade para conhecê-la. Você nunca verá o verdadeiro milagre que o envolve, que cruza o seu caminho em milhões de maneiras todos os dias. Você nunca o verá, porque para vê-lo você precisa de uma tremenda capacidade para compreender, para sentir, para ser.

Esta sociedade é uma sociedade voltada para o poder. Esta sociedade ainda é completamente primitiva, completamente bárbara. Algumas pessoas — políticos, padres, professores —, algumas pessoas dominam milhões de outras. E esta sociedade é conduzida de tal modo que não se permite que nenhuma criança tenha inteligência. É por puro acidente que de vez em quando um Buda chegue sobre a terra — um puro acidente. De algum modo, de vez em quando, uma pessoa escapa dos grilhões da sociedade. De vez em quando uma pessoa permanece não envenenada pela sociedade. Isso pode ser por causa de algum erro, algum engano da sociedade. Do contrário, a sociedade continua destruindo as suas raízes, destruindo a sua confiança em si mesmo. E uma vez feito isso, você nunca será capaz de confiar em ninguém.

Uma vez que você é incapaz de amar a si mesmo, você nunca será capaz de amar ninguém. Essa é uma verdade absoluta, não há exceções a ela. Você pode amar os outros se for capaz de amar a si mesmo. Mas a sociedade condena o amor-próprio. Ela diz que é egoísmo, diz que ele é narcisista.

Sim, o amor-próprio pode se tornar narcisista mas não é necessariamente assim. Ele pode se tornar narcisista se nunca for além de si mesmo; ele pode se tornar um tipo de egoísmo caso se confine na pessoa. Do contrário, o amor-próprio é o começo de todos os outros amores.

Uma pessoa que ame a si mesma cedo ou tarde começa a transbordar de amor. Uma pessoa que confie em si mesma não pode desconfiar de ninguém, mesmo daqueles que vão enganá-la, mesmo daqueles que já a enganaram. Sim, ela não pode nem mesmo desconfiar dessas pessoas, porque agora ela sabe que a confiança é muito mais valiosa do que todo o resto.

Você pode enganar uma pessoa — mas em que você pode enganá-la? Você pode tirar algum dinheiro ou qualquer outra coisa dela. Mas o homem que conhece a beleza da verdade não se deixa perturbar por essas coisinhas. Ele vai continuar amando você, vai continuar confiando em você. E então acontece um milagre: se uma pessoa confia realmente em você, será impossível enganá-la, quase impossível.

Isso acontece todos os dias na sua vida também. Sempre que você confia em alguém, torna-se impossível a esse alguém enganar você, decepcionar você. Sentado na plataforma de uma estação de trem, você não conhece a pessoa que está sentada ao seu lado — um estranho, um completo estranho — e você diz a ele: "Por favor; poderia olhar a minha bagagem enquanto vou comprar a passagem? É só um minuto, eu já volto." E você vai. Você confia num absoluto estranho. Mas quase nunca acontece de o estranho decepcionar você. Ele poderia decepcionar se você não confiasse nele.

A confiança tem uma magia em si. Como pode ele decepcionar você agora que você confiou nele? Como ele poderia cair tão baixo? Ele nunca seria capaz de se perdoar se decepcionar você.

CONFIE EM SI MESMO

Existe uma característica intrínseca na consciência humana para confiar e ser confiável. Todo mundo gosta que confiem em si. Isso é respeito por parte da outra pessoa — e quando você confia num estranho é mais do que isso. Não existe razão para confiar nele, e ainda assim você confia. Você eleva o homem a um patamar tão alto, você valoriza tanto esse homem, que é quase impossível que ele caia de tamanha altura. E, se cair, ele nunca será capaz de se perdoar, ele terá de carregar o peso da culpa pelo resto da vida.

O homem que confia em si mesmo vem a conhecer a beleza disso — vem a conhecer que, quanto mais você confia em si, mais você cresce; quanto mais você está num estado relaxado, solto, mais você está equilibrado e sereno, mais você está calmo, está bem e tranqüilo. E é muito bonito que você comece a confiar em cada vez mais pessoas, porque quanto mais você confia, mais a sua calma se aprofunda, a sua serenidade se torna cada vez mais profunda até o âmago do seu ser. E quanto mais você confia, mais você se eleva. Um homem que consegue confiar, cedo ou tarde conhece a lógica da confiança. E então, um dia, ele está pronto para tentar confiar no desconhecido.

Comece confiando em si mesmo — essa é a lição básica, a primeira lição. Comece a se amar. Se você não se ama, quem mais vai amar você? Mas lembre-se: se você amar *apenas* a si mesmo, o seu amor será muito infeliz.

Um grande místico judeu, Hillel, disse uma vez: "Se você não defender os seus interesses, quem vai fazê-lo em seu lugar?" E também: "Se você defender apenas os seus interesses, então que importância terá a vida?" — uma afirmação de enorme significado. Lembre-se do seguinte: ame a si mesmo, porque, se não amar a si mesmo, ninguém mais vai ser capaz de amar você.

Não se pode amar uma pessoa que se odeia. E nesta terra de infortúnios, quase todo mundo se odeia, todo mundo se condena. Como você pode amar uma pessoa que condena a si mesma? Ela não vai acreditar em você. Ela não é capaz de se amar — como você pode ousar fazê-lo? Ela não consegue amar a si mesma — como você pode amá-la? Ela vai desconfiar que se trata de um jogo, de uma trapaça, de uma armadilha. Ele vai desconfiar que você está tentando iludi-la em nome do amor. Ela será muito cautelosa, alerta, e a desconfiança dela irá envenenar você. Se você ama uma pessoa que se odeia, você está tentando destruir o conceito que ela faz de si mesma. E ninguém abandona de bom grado o conceito que faz de si mesmo; essa é a identidade da pessoa. Ela vai lutar com você; ela irá provar para você que está certa e você errado.

Isso é o que acontece em todos os relacionamentos amorosos — deixem-me chamar assim todos os assim chamados relacionamentos amorosos. Isso acontece entre todos os maridos e esposas, entre todos os amantes e amados, entre todo homem e toda mulher. Como você pode destruir o conceito que o outro faz de si mesmo? Essa é a identidade dele, esse é o seu ego, é assim que ele se conhece. Se você eliminar isso, ele não vai saber quem ele é. É arriscado demais; ele não pode abandonar facilmente o conceito que tem de si mesmo. Ele irá provar a você que não vale a pena amá-lo, que só vale a pena odiá-lo. E o seu caso é o mesmo. Você também se odeia; você não pode permitir que outra pessoa ame você. Sempre que alguém se aproxima de você com a energia do amor, você se encolhe, tenta fugir, tem medo. Você sabe perfeitamente bem que não vale a pena amar você; você sabe que apenas na superfície você parece tão bom, tão bonito; no fundo você é feio. E se você permitir que essa pessoa o ame, cedo ou tarde — e será mais cedo do que tarde — ela virá a saber quem você é na realidade.

Até que ponto você é capaz de fingir com uma pessoa a quem tem de viver amando? Você pode fingir na rua, pode fingir no Lions' Club e no Rotary Club — sorrisos, só sorrisos. Você pode fazer um ótimo papel de ator e interpretar bem o papel. Mas se você vive com uma mulher ou com um homem vinte e quatro horas por dia, então é cansativo ficar sorrindo, sorrindo e sorrindo. Então o sorriso cansa você, porque é falso. Trata-se apenas de um exercício dos lábios, e os lábios se cansam. Como você pode continuar sendo tão doce? Seu amargor vai aparecer. Daí que no momento em que a lua-de-mel termina, tudo acaba. Ambos conheceram o lado verdadeiro um do outro, ambos conheceram a mentira um do outro, ambos conheceram a falsidade um do outro.

Todos têm medo de ficar íntimos de outra pessoa. Ser íntimo significa que você terá de deixar o seu papel de lado. E você sabe quem você é — indigno, simplesmente sujo; é isso o que lhe disseram desde o princípio. Os seus pais, os seus professores, os seus padres, os seus políticos, todos lhe disseram que você era sujo, indigno. Ninguém nunca aceitou você. Ninguém lhe deu a sensação de que era amado e respeitado, de que você era querido — que a vida sentiria a sua falta, que sem você esta vida não seria a mesma, que sem você restaria uma lacuna. Sem você este universo perderia um pouco de poesia, um pouco de beleza: faria falta uma canção, faria falta uma nota, restaria uma lacuna — ninguém nunca lhe disse isso.

E é esse o meu trabalho aqui: destruir a desconfiança que foi criada em você a respeito de si mesmo; destruir toda a condenação que lhe tenha sido imposta, afastá-la de você e dar-lhe uma sensação de que você é amado e respeitado, amado pela vida. Deus criou você porque o amava. Ele amava você tanto que não pôde resistir à tentação de criá-lo.

Quando um pintor pinta, ele pinta porque ama. Vincent van Gogh pintava o sol, sempre; a vida inteira ele amou demais o sol. Na verdade, foi o sol que o levou à loucura. Por um ano ininterrupto ele ficou em pé pintando sob o sol. Toda a vida dele girava em torno do sol. E no dia em que ele estava contente, pintando e pintando o que sempre quis pintar — e para fazer essa pintura ele tinha pintado muitas outras, mas ele não estava contente com elas — no dia em que ele estava contente, nesse dia ele pôde dizer: "Sim, era isso o que eu queria pintar", e cometeu suicídio porque, disse ele: "O meu trabalho está acabado. Eu fiz aquilo que vim fazer aqui. Meu destino está cumprido. Agora não faz sentido viver."

A vida inteira dele foi como uma devoção a determinada pintura? Ele devia estar loucamente apaixonado pelo sol. Ele olhava para o sol tanto que o sol destruiu os seus olhos, a sua visão. Ele o deixou louco.

Quando um poeta compõe uma canção é porque ele a ama. Deus pintou você, cantou você, dançou você. Deus ama você! Se você não vê nenhum significado na palavra *Deus,* não se preocupe — chame-o de vida, chame-o de o Todo. A vida ama você, do contrário você não estaria aqui.

Relaxe quanto ao seu ser; você é querido pelo Todo. É por isso que o Todo respira em você, pulsa em você. Depois que você começa a perceber esse imenso respeito, esse amor e essa confiança do Todo em relação a você, você começa a criar raízes no seu ser. Você passa a confiar em si mesmo. E só então você pode confiar em mim, só então você pode confiar nos seus amigos, nos seus filhos, no seu marido, na sua esposa. Só então você pode confiar nas árvores, nos animais, nas estrelas e na lua. Então você vive simplesmente em confiança. Não é mais uma questão de confiar nisso ou naquilo; você simplesmente confia. E confiar é simplesmente ser religioso.

É disso que trata o *sannyas. Sannyas* é desfazer tudo o que a sociedade fez. Não é por acaso que os padres são contra mim, os políticos são contra mim, os pais são contra mim, todo o sistema é contra mim; não é por acaso. Eu entendo a lógica absolutamente clara deles. Estou tentando desfazer o que eles fizeram. Estou sabotando todo o padrão dessa sociedade escravista.

Estou empenhado em criar rebeldes, e o começo da rebeldia é a confiança em si mesmo. Se eu puder ajudar você a confiar em si, eu o ajudei. Nada mais é preciso, tudo o mais segue-se de acordo com isso.

INTIMIDADE COM OS OUTROS: OS PRÓXIMOS PASSOS

Quando duas pessoas que se amam estão realmente abertas uma à outra, quando elas não temem uma à outra e não escondem nada uma da outra... isso é intimidade. Quando elas podem dizer tudo, sem medo de que o outro irá se ofender ou magoar... Se o ente querido pensa que o outro ficará ofendido, então a intimidade ainda não é profunda o bastante. É um tipo de acordo que pode ser rompido por qualquer coisa. Mas quando duas pessoas que se amam começam a sentir que não há nada a esconder e tudo pode ser dito, e a confiança chega a tal profundidade que mesmo que um não diga o outro irá saber, então eles começam a se tornar um.

SEJA VISTO

A vida é peregrinação e, a menos que o amor se realize, ela continua sendo uma peregrinação, nunca chegando a parte alguma. Ela continua andando em círculos e o momento da realização nunca chega, aquele momento em que se pode dizer: "Eu cheguei lá. Eu me tornei o que vim para ser. A semente se consumou nas flores." O amor é a meta, a vida é a jornada. E uma jornada sem um objetivo tende a ser neurótica, acidental; não terá uma direção. Num dia você vai para o norte e no outro você vai para o sul; a jornada continua sendo casual, nada leva você a lugar nenhum. Você continuará sendo como uma madeira flutuante lançada à costa pelas ondas, a menos que tenha uma meta definida. Pode ser uma estrela muito distante, isso não faz nenhuma diferença; mas a meta deve ser clara. Distante... se for distante está bem, mas deve estar visível.

Os seus olhos podem permanecer concentrados nela; então a jornada de dez mil quilômetros não será uma jornada muito longa. Se você estiver seguindo a direção certa, então a mais longa jornada não será problema. Mas, se você estiver seguindo a direção errada, ou não estiver seguindo direção nenhuma, ou seguindo todas as direções ao mesmo tempo, então a vida começa a entrar em colapso. Isso é que é neurose — um colapso de energia, não saber aonde ir, o que fazer, o que ser.

Não saber aonde ir, não saber do que se trata, deixa uma lacuna interior, uma ferida, um buraco negro, e um medo constante vai surgir daí. É por isso que as pessoas vivem tremendo de medo. Elas podem esconder o fato, podem tentar encobri-lo, podem não revelá-lo a ninguém, mas elas vivem com medo. É por isso que as pessoas têm tanto medo de ter intimidade com alguém — o outro pode ver o buraco negro dentro delas se elas deixarem que o outro chegue perto demais da intimidade.

A palavra *intimidade* deriva de uma raiz latina, *intimum*. *Intimum* significa a sua interioridade, o seu ponto mais íntimo. A menos que tenha alguma coisa ali, você não pode ser íntimo de ninguém. Você não pode liberar o *intimum,* a intimidade, porque o outro verá o buraco, a ferida e o pus vazando dela. Ele verá que você não sabe quem você é, que você é um louco, que você não sabe para onde está indo. Que você nem sequer ouviu a sua própria canção, que a sua vida é um caos, que ela não é um cosmo. Daí o medo da intimidade.

Até mesmo as pessoas que se amam raramente se tornam íntimas. E apenas ter relações sexuais com alguém não é intimidade — o orgasmo genital não é tudo o que existe na intimidade; ele é só a periferia dela. A intimidade pode estar nele ou existir sem ele. A intimidade é uma dimensão totalmente diferente. Ela é a permissão para o outro se aproximar de você, ver você como você se vê — deixar que o outro veja você de dentro de você, convidar alguém a ir ao ponto mais fundo do seu ser. No mundo moderno, a intimidade está desaparecendo. Até mesmo as pessoas que se amam não são íntimas. Atualmente, amizade é apenas uma palavra; ela desapareceu. E qual a razão disso? A razão é que não há nada a compartilhar. Quem quer mostrar a própria pobreza interior? O que se quer é fingir: "Eu sou rico; eu cheguei lá; eu sei o que estou fazendo; eu sei para onde vou."

As pessoas não estão prontas e não têm coragem suficiente para se abrir, para mostrar o próprio caos interior e ser vulneráveis. O outro pode explorá-las; o medo existe. O outro pode virar um dominador, vendo que você é um caos. Vendo que você precisa de um dono, que você não é o dono do seu próprio ser, o outro pode se tornar o dono. Daí que todo mundo tente se proteger para que ninguém conheça o seu desamparo interior; do contrário, podem ser explorados. Este mundo é feito de muita exploração.

O amor é a meta. E desde que a meta esteja clara, você começa a cultivar uma riqueza interior. A ferida desaparece e torna-se um lótus; a ferida se transforma em lótus. Esse é o milagre do amor, a magia do amor. O amor é a maior força alquímica do mundo. As pessoas que sabem como usá-lo podem atingir o pico mais elevado chamado Deus. As pessoas que não sabem como usá-lo continuam se debatendo em meio às trevas da existência; elas nunca chegarão aos picos ensolarados da vida.

A NECESSIDADE DE PRIVACIDADE

O ser tem dois lados: o exterior e o interior. O exterior pode ser público, mas o interior não pode. Se você tornar o interior público, perderá a sua alma, perderá a sua face original. Então você viverá como se não tivesse um ser interior. A vida se torna monótona, fútil. Isso acontece às pessoas que levam uma vida pública — políticos, astros de cinema. Eles se tornam públicos, perdem completamente o ser interior; eles não sabem quem são, a menos que o público fale sobre eles. Eles dependem da opinião dos outros, não têm o sentimento do próprio ser.

Uma das mais famosas atrizes, Marilyn Monroe, cometeu suicídio, e os psicanalistas têm meditado sobre os motivos para isso. Ela era uma das mulheres mais lindas que já existiram, uma das mais bem-sucedidas. Até mesmo o presidente dos Estados Unidos, Kennedy, estava apaixonado por ela, e milhões de pessoas a amavam. Não se pode pensar no que mais se possa ter. Ela tinha tudo.

Mas ela era pública e sabia disso. Até mesmo na alcova, quando o presidente Kennedy a visitava, ela costumava chamá-lo de "Sr. Presidente" — como se estivesse tendo relações não com um homem, mas com uma instituição.

Ela era uma instituição. Pouco a pouco, ela tomou consciência de que não tinha nada de privado. Uma vez alguém lhe perguntou — ela tinha acabado de posar nua para um calendário e alguém lhe perguntou:
— Mas você não tinha nada enquanto posava para o calendário?
— Bem... — respondeu ela. — Eu tinha... o rádio ligado.

Exposta, nua, nada seu em particular. Eu acho que ela cometeu suicídio porque essa era a única coisa que poderia ter feito em particular. Tudo era público; essa foi a única coisa que sobrou para fazer por conta própria, sozinha, algo absolutamente íntimo e secreto. As personagens públicas são sempre atraídas para o suicídio porque apenas por meio do suicídio elas podem ter um vislumbre de quem são.

Tudo o que é bonito é interior, e o interior significa privacidade. Você observou as mulheres fazendo amor? Elas sempre fecham os olhos. Elas sabem o que fazem. O homem continua fazendo amor com os olhos abertos; ele continua sendo um observador. Ele não está completamente entregue ao ato; não está totalmente nele. Ele continua sendo um *voyeur*, como se outra pessoa estivesse fazendo amor e ele estivesse observando; como se o ato do amor estivesse numa tela de TV ou de cinema. Mas a mulher sabe mais porque ela está mais sutilmente sintonizada com o interior. Ela sempre fecha os olhos. Então o amor tem um perfume totalmente diferente.

Faça uma coisa: um dia, ao tomar banho, acenda e apague a luz. No escuro, você ouve melhor a água cair, o som é mais nítido. Quando a luz está acesa, o som não fica tão nítido. O que acontece no escuro? No escuro, tudo o mais desaparece, porque você não pode ver. Só você e o som estão lá. É por isso que em todos os bons restaurantes evita-se a luz; a luz forte é evitada. Eles usam velas. Sempre que um restaurante está à luz de velas, o gosto é melhor — você come bem e o paladar é mais apurado. O encanto envolve você. Se houver muita iluminação, o paladar desaparece. Os olhos tornam tudo público.

Na primeira frase da sua *Metafísica,* Aristóteles diz que a visão é o sentido mais elevado do homem. Não é — na verdade, a visão tornou-se muito dominadora. Ela monopolizou todo o ser e destruiu todos os outros sentidos. O mestre dele, o mestre de Aristóteles, Platão, diz que existe uma hierarquia entre os sentidos — a visão está no alto, o toque na base. Ele está completamente errado. Não existe hierarquia. Todos os sentidos estão no mesmo nível e não deve haver nenhuma hierarquia entre eles.

Mas você vive através dos olhos: oitenta por cento da sua vida depende dos olhos. Não deveria ser assim; o equilíbrio precisa ser restabelecido. Você também deve tocar, porque o toque tem algo que os olhos não podem dar. Mas experimente, experimente tocar a mulher que você ama ou o homem que você ama em plena luz e, depois, tocar no escuro. No escuro o corpo se revela, no claro ele se esconde.

Você já viu as pinturas de corpos femininos de Renoir? Elas têm algo de milagroso. Muitos pintores pintaram o corpo feminino, mas não existe comparação com Renoir. Qual é a diferença? Todos os outros pintores pintaram o corpo feminino como ele aparece aos olhos. Renoir pintou como ele é sentido pelas mãos; assim, a pintura tem calor, proximidade, vivacidade.

Quando você toca, algo de muito íntimo acontece. Quando você vê, tudo fica distante. No escuro, em segredo, na privacidade, algo se revela que não pode ser revelado às claras, na rua. Outros estão vendo e observando: algo profundo dentro de você se encolhe, não pode desabrochar. É como se você pusesse sementes no chão para todo mundo olhar. Elas nunca irão brotar. Elas precisam ser atiradas no fundo do útero da terra, na escuridão profunda onde ninguém possa vê-las, onde elas começam a brotar e então nasce uma grande árvore.

Assim como as sementes precisam do escuro e da privacidade, todos os relacionamentos que são profundos e íntimos permanecem no

A NECESSIDADE DE PRIVACIDADE

seu interior. Eles precisam de privacidade, precisam de um lugar onde apenas dois existam. Então chega um momento em que até mesmo os dois se dissolvem e apenas um existe.

Dois amantes profundamente afinados um com o outro se dissolvem. Apenas um existe. Eles respiram juntos, estão juntos, existe um companheirismo. Isso não seria possível se houvesse a presença de observadores. Eles nunca seriam capazes de relaxar se outros estivessem observando. Os próprios olhos dos outros se tornariam uma barreira. Assim, tudo o que é belo, tudo o que é profundo, acontece no escuro.

Nos relacionamentos humanos, a privacidade é necessária. O segredo tem as suas próprias razões para existir. Lembre-se disso, e lembre-se sempre de que você vai se comportar muito tolamente na vida caso se torne completamente público. Seria como se alguém virasse os bolsos do avesso. Essa seria a sua forma, como bolsos virados do avesso. Não há nada de errado em ser voltado para fora; mas lembre-se de que isso é apenas parte da vida. Não deve se tornar a totalidade.

Eu não estou querendo dizer para entrar no escuro para sempre. A luz tem a sua própria beleza e o seu próprio sentido. Se a semente permanecer no escuro para todo o sempre e nunca sair para receber o sol da manhã, ela morrerá. Ela precisa entrar no escuro para brotar, para reunir forças, para tornar-se vital, para renascer, e depois tem de sair e encarar o mundo, a luz, a tempestade e as chuvas. Ela tem de aceitar o desafio do exterior. Mas esse desafio só pode ser aceito se você estiver profundamente enraizado interiormente.

Eu não estou dizendo para você se tornar escapista. Não estou dizendo para você fechar os olhos, se retrair e nunca mais sair. Estou dizendo simplesmente para você entrar de modo que possa sair com energia, com amor, com compaixão. Entrar, de modo que, quando sair, você não seja mais mendigo, mas rei. Entrar, de modo que, quando sair, tenha algo a compartilhar — as flores, as folhas. Entrar de modo que a sua saída se torne mais rica e não empobrecida. E sempre se lembre de que, toda vez que se sentir exaurido, a fonte de energia está no seu interior. Feche os olhos e entre.

Tenha relacionamentos externos, tenha relacionamentos internos também. É claro que é inevitável ter relacionamentos externos — você anda no mundo, os relacionamentos profissionais estão aí —, mas eles não devem ser tudo. Eles têm um papel a desempenhar, mas deve haver algo absolutamente secreto e privado, algo que você possa chamar de seu.

Foi isso que faltou a Marilyn Monroe. Ela era uma mulher pública, bem-sucedida, ainda que um completo fracasso. Quando estava no auge do sucesso e da fama, ela cometeu suicídio. Por que ela cometeu suicídio continua sendo um enigma. Ela tinha tudo por que viver; não se pode conceber mais fama, mais sucesso, mais carisma, mais beleza, mais saúde do que ela tinha. Estava tudo lá, não era preciso melhorar nada, e ainda assim faltava alguma coisa. O lado de dentro, o interior, estava vazio. Então, o suicídio foi o único caminho.

Pode ser que você não chegue ao ponto de cometer suicídio como Marilyn Monroe. Pode ser que você seja muito covarde e cometa suicídio muito lentamente — pode ser que você leve setenta anos para cometê-lo — mas ainda assim é suicídio. A menos que tenha algo dentro de você, que não dependa de nada de fora, que seja apenas seu — um mundo, um espaço seu, onde possa fechar os olhos e andar, onde possa esquecer que tudo mais existe — você estará cometendo suicídio.

A vida nasce dessa fonte interior e se espalha pelo céu afora. Tem de haver um equilíbrio; e estou sempre procurando o equilíbrio. Portanto, não vou dizer que a sua vida deva ser um livro aberto, não. Alguns capítulos abertos, tudo bem. E alguns capítulos completamente fechados, um completo mistério. Se você for apenas um livro aberto, você será uma prostituta, você simplesmente vai ficar esperando nu na rua, com o rádio ligado. Não, essa não.

Se todo o seu livro estiver aberto, você será apenas o dia sem noite, apenas o verão sem inverno. Onde você vai descansar, onde vai se centrar e onde vai buscar refúgio? Para onde você irá quando estiver cansado deste mundo? Para onde irá para orar e meditar? Não; meio a meio está perfeito. Deixe metade do seu livro aberto — aberto a todos, disponível a todos — e deixe que a outra metade do seu livro seja tão secreta que apenas raros convidados possam ter acesso a ela.

Apenas raramente alguém recebe a permissão para entrar no seu templo. É assim que deve ser. Se a multidão entrar e sair, então o templo não será mais um templo. Poderá ser o salão de espera de um aeroporto, mas não pode ser um templo. Apenas raramente, muito raramente, você permite que alguém entre no seu eu. É isso que é o amor. ¤

SEMPRE VIVEMOS COM OS OUTROS. Desde o momento que a criança deixa o útero da mãe, ela nunca fica sozinha — ela está com a mãe, com a família, com os amigos, com as pessoas. O círculo de conhecidos, amizades, relacionamentos, vai se tornando cada vez maior, e uma multidão se acumula ao redor dela. É a isso que chamamos vida. E quanto mais pessoas existem na sua vida, mais você acha que tem uma vida grandiosa.

Quando você começa a se voltar para dentro de si, todos esses rostos começam a desaparecer pouco a pouco, toda essa multidão se dispersa. Você tem de se despedir de todos: até mesmo do seu amigo mais íntimo, da pessoa a quem ama; você tem de dizer adeus. Chega o momento em que até mesmo a pessoa a quem você ama não poderá estar com você. Esse é o momento em que você volta a ocupar o mesmo espaço que ocupava no útero da sua mãe. Mas então você não conhecia a multidão; portanto, não se sentia sozinho. A criança estava perfeitamente feliz no útero da mãe porque não havia comparação, tudo era alegria. Por não conhecer ninguém, ela não poderia se sentir sozinha ou solitária — ela não fazia idéia. Aquela era a única realidade que ela conhecia.

Mas agora que você conheceu a multidão, os relacionamentos, as alegrias e tristezas do relacionamento, ambas estão lá. Ao voltar-se para dentro, o mundo começa a desaparecer, torna-se como um eco, e logo até mesmo o eco desaparece e você está completamente perdido. Mas essa é apenas uma interpretação. Se você puder continuar um pouco mais, de repente vai se achar — e pela primeira vez vai se encontrar. Então você ficará surpreso: você estava perdido na multidão; agora você não está perdido. Você estava perdido naquela selva de relacionamentos e agora voltou para casa. Então, de novo, você pode voltar para o mundo, mas será uma pessoa totalmente diferente.

Você vai se relacionar, mas não depender; vai amar, mas o seu amor não será uma necessidade. Você vai amar, mas não possuir; vai amar, mas não será ciumento. E quando o amor não provoca ciúme, possessividade, ele é divino. Você vai estar com as pessoas. Na verdade, só então você poderá estar com as pessoas porque você existe; agora você pode estar com as pessoas. Antes você não existia; então toda a idéia de estar com as pessoas era apenas ilusória, uma espécie de sonho.

A menos que você exista, como você pode se relacionar? A menos que você exista, como você pode estar com os outros? Essa é apenas uma ficção que criamos; é uma ilusão.

A menos que você esteja centrado, a menos que saiba quem é, você não pode realmente se relacionar. Todo relacionamento que continue sem o conhecimento de si próprio não passa de uma ilusão. O outro pensa que está se relacionando com você, você pensa que está se relacionando com ele; nem você conhece a si mesmo, nem ele conhece a si mesmo. Portanto, quem está se relacionando com quem? Não há ninguém! Só duas sombras participando de um jogo. E ambos são sombras, uma vez que não existe substância no relacionamento. É isso o que eu observo continuamente: as pessoas se relacionam mas não existe nada de substancial. Elas se relacionam porque têm medo de que, se não se relacionarem, ficarão solitárias e se sentirão perdidas, por isso elas saltam de novo e começam a se relacionar. Todo tipo de relacionamento é melhor do que nenhum relacionamento; até mesmo se for uma inimizade está bem; ao menos a pessoa se sente ocupada. O seu assim chamado amor é nada mais que um tipo de inimizade, uma maneira polida de lutar, de enfrentar, de dominar; uma maneira civilizada de torturar um ao outro, atormentando-se.

Por isso você tem de entrar nesse espaço. Reunir coragem e entrar nele. Mesmo que ele pareça muito triste e muito solitário, não há nada com que se preocupar; temos de pagar esse preço. E depois que você tiver alcançado a fonte, tudo vai mudar completamente, e você vai sair como um indivíduo. Essa é a diferença que eu faço entre um indivíduo e uma pessoa: uma pessoa é um fenômeno falso, um indivíduo é uma realidade. Pessoas, personalidades, são máscaras, sombras; individualidade é substância, é realidade. E só os indivíduos podem se relacionar, podem amar — as pessoas só podem participar de jogos.

RELAÇÃO, NÃO RELACIONAMENTO

O amor é um estado da consciência em que você está alegre, em que o seu ser dança de alegria. É algo que vibra, se irradia a partir do seu centro; algo que pulsa ao seu redor. O amor atinge todas as pessoas: pode atingir mulheres, homens, assim como pode atingir pedras, árvores e estrelas.

Quando falo de amor, estou falando desse amor: um amor que não é um relacionamento mas um estado de ser. Lembre-se: sempre que eu uso a palavra "amor", eu a uso como um estado de ser, não como um relacionamento. Relacionamento é apenas um aspecto muito pequeno do amor. Mas a idéia que você faz do amor é basicamente a do relacionamento, como se isso fosse tudo.

O relacionamento é necessário apenas porque você não pode ficar sozinho, porque você ainda não está pronto para a meditação. Portanto, a meditação é um dever antes de você poder realmente amar. Deve-se ser capaz de ficar só, completamente só, e ainda assim ser imensamente feliz. Então você é capaz de amar. Então o seu amor não é mais uma necessidade mas um compartilhamento, não mais uma necessidade. Você não vai se tornar dependente das pessoas a quem ama. Você vai compartilhar — e compartilhar é lindo.

Mas o que comumente acontece no mundo é: você não tem amor, a pessoa a quem você pensa que ama não tem amor no seu ser também, e ambos procuram amor um no outro. Dois mendigos mendigando um ao outro! Daí a luta, o conflito, a disputa contínua entre os amantes — sobre trivialidades, sobre insignificâncias, sobre idiotices! — mas ambos continuam competindo.

A disputa básica é que o marido pensa que não está recebendo o que lhe é de direito, a esposa pensa que não está recebendo o que lhe é de direito. A esposa pensa que está sendo enganada e o marido também pensa que está sendo enganado. Onde está o amor? Ninguém se incomoda em dar, todo mundo quer receber. E quando todo mundo está atrás de receber, ninguém recebe e todo mundo se sente prejudicado, vazio, tenso.

Os fundamentos básicos estão faltando, e você construiu um templo sem as fundações. Ele pode ruir a qualquer momento. Você sabe quantas vezes o seu amor desmoronou, e ainda assim você continua fazendo a mesma coisa uma vez atrás da outra.

Você vive em total inconsciência! Você não vê o que tem feito da sua vida e da vida dos outros. Você segue em frente mecanicamente, como um robô, repetindo os velhos padrões, sabendo muito bem que fez o mesmo antes. E você sabe qual sempre foi o resultado, e no fundo também está preocupado que aconteça o mesmo outra vez — porque não há diferença. Você está se preparando para a mesma conclusão, o mesmo colapso.

Se você pode aprender alguma coisa com o fracasso do amor, será tornando-se mais atento, mais meditativo. E por meditação eu quero dizer a capacidade de se alegrar sozinho. Raríssimas pessoas são capazes de ser felizes sem nenhum motivo — só por sentar-se em silêncio e contentes. Outras vão achar que estão loucas, porque a idéia de felicidade é a de que a felicidade tem de vir de outra pessoa. Você conhece uma mulher bonita e fica feliz, ou você conhece um homem bonito e fica feliz. Fica sentado em silêncio no seu quarto, tão contente, tão feliz? Você deve estar louco ou coisa parecida! As pessoas vão desconfiar que você está consumindo drogas, que está embriagado.

Sim, a meditação é o supremo LSD! Ela libera os seus poderes psicodélicos. Ela libera o seu esplendor aprisionado. E você fica tão feliz, uma tal euforia brota do seu ser, que você não precisa de nenhum relacionamento. Ainda assim você pode se relacionar com as pessoas... e essa é a diferença entre relação e relacionamento.

Relacionamento é uma coisa: você se aferra a ele. Relação é um fluxo, um movimento, um processo. Você conhece uma pessoa, vocês estão amando, porque vocês têm tanto amor para dar — e quanto mais vocês dão, mais vocês recebem. Depois de ter entendido essa estranha aritmética do amor: quanto mais você dá, mais você tem... Isso é exatamente contra as leis econômicas que se aplicam ao mundo exterior. Depois de saber disso, se você quiser ter mais amor e mais alegria, você dá e compartilha, então simplesmente compartilha. E seja quem for que permita a você compartilhar da sua alegria com ele ou ela, você se sentirá grato a ele ou ela. Mas isso não é um relacionamento; é um fluxo como o de um rio.

O rio passa ao lado de uma árvore, cumprimenta-a, alimenta-a, dá-lhe água... e vai em frente, dançando. Ele não se prende à árvore. E a árvore não diz: "Aonde você vai? Estamos casados! E antes de sair me dê o divórcio; no mínimo, a separação! Aonde você vai? E se vai me deixar aqui, por que ficou dançando tão bonito perto de mim? Por que, antes de mais nada, me alimentou?" Não. A árvore deixa cair as suas flores sobre o rio em profunda gratidão e o rio segue em frente. O vento chega, dança ao redor da árvore e segue em frente. E a árvore empresta o seu perfume ao vento.

Isso é relação. Se a humanidade crescesse, amadurecesse, essa seria a maneira de amar: as pessoas se conhecendo, compartilhando, seguindo em frente, sem possessividade, sem dominação. Do contrário, o amor se torna um jogo de poder.

ASSUMA O RISCO
DE SER SINCERO

Nenhum relacionamento pode crescer de verdade se você continuar dando-lhe as costas. Se você permanecer esperto e continuar se guardando e protegendo, apenas as personalidades se conhecem e os centros essenciais permanecem sozinhos. Então, apenas a sua máscara se relaciona, não você. Sempre que uma coisa dessas acontece, há quatro pessoas no relacionamento, não duas. Duas pessoas falsas continuam se encontrando, e duas pessoas reais continuam em mundos à parte.

Esse risco existe — se você for sincero, ninguém saberá se esse relacionamento será capaz de entender a verdade, a autenticidade; se esse relacionamento será forte o suficiente para resistir à tempestade. Existe um risco e, por causa dele, as pessoas permanecem muito protegidas. Elas dizem coisas que deveriam ser ditas, fazem coisas que deveriam ser feitas; o amor se torna mais ou menos como um dever. Mas então a realidade continua faminta e a essência não é alimentada. Assim a essência vai ficando cada vez mais triste. As mentiras da personalidade são um fardo muito pesado para a essência, para a alma. O risco é real e não existem garantias quanto a ele; mas vou lhe dizer uma coisa, vale a pena correr o risco.

No máximo, o relacionamento acaba — no máximo. Mas é melhor ser separado e verdadeiro do que irreal e junto, porque então você nunca estará satisfeito. A bênção nunca virá com o relacionamento. Você vai continuar faminto e sedento, e continuará se arrastando, só esperando que aconteça um milagre.

Para que o milagre aconteça, você terá de fazer alguma coisa, e isso é: começar a ser sincero. Com o risco de que talvez o relacionamento não seja forte o suficiente e possa não ser capaz de resistir — a verdade pode ser demais, insuportável — mas então esse relacionamento não vale a pena. Por isso, é preciso passar pelo teste.

Arrisque tudo pela verdade; ou então você vai continuar descontente. Você vai fazer muitas coisas, mas nada realmente vai acontecer com você. Você vai se movimentar bastante, mas nunca vai chegar a lugar nenhum. O resultado no fim será quase absurdo. É como se você estivesse faminto e simplesmente fantasiasse sobre o alimento — maravilhoso, delicioso. Mas fantasia é fantasia, não é real. Você não pode comer um alimento irreal. Por momentos você pode se iludir, pode viver num mundo de sonho, mas o sonho não lhe dá nada. O sonho tira muitas coisas e não dá nada em troca.

O tempo que você gasta usando uma personalidade falsa é simplesmente desperdiçado; você nunca o terá de volta. Esses mesmos momentos poderiam ter sido de verdade, autênticos. Até mesmo um único momento de autenticidade é melhor do que uma vida inteira de vida inautêntica. Portanto não tenha medo. A mente vai lhe dizer para continuar protegendo os outros e a si mesmo, para se manter em segurança. É assim que milhões de pessoas estão vivendo.

Freud, em seus últimos dias, escreveu uma carta a um amigo sobre o que havia observado — e ele realmente observava a fundo, ninguém observou de maneira tão profunda, tão penetrante, tão persistente e científica; ele dizia na carta que até onde havia observado ao longo da vida, uma conclusão parecia ser absolutamente certa: a de que as pessoas não podem viver sem mentiras. A verdade é perigosa. As mentiras são muito doces, mas irreais. Deliciosas! Você continua dizendo doces nadas à pessoa amada e ela continua suspirando em seus ouvidos nada além de doces nadas. E enquanto isso a vida segue escorrendo por entre as suas mãos e todo mundo se aproxima cada vez mais da morte.

Antes de a morte chegar, lembre-se de uma coisa: é preciso viver o amor antes de a morte acontecer. Do contrário, você terá vivido em vão, e toda a sua vida terá sido fútil, um deserto. Antes de a morte chegar, tenha certeza de que o amor aconteceu. Mas isso só é possível com a verdade. Portanto, seja verdadeiro. Arrisque tudo pela verdade e nunca arrisque a verdade por nada mais. Deixe que esta seja a lei fundamental: mesmo que eu tenha de sacrificar a mim mesmo, à minha vida, vou fazer esse sacrifício pela verdade; mas a verdade eu não sacrificarei por nada. E você sentirá uma imensa felicidade, uma bênção inimaginável cairá sobre você.

Se você for sincero, tudo o mais se tornará possível. Se você for falso — só uma fachada, uma pintura, um rosto, uma máscara — nada será possível. Porque, com o falso, apenas o falso acontece, e com a verdade, só a verdade.

Eu entendo o problema, o problema de todos os amantes: no fundo, todos eles têm medo. Eles continuam imaginando se o relacionamento será forte o suficiente para suportar a verdade. Mas como você pode saber de antemão? Não existe conhecimento *a priori*. É preciso fazer para conhecer. Como você vai saber, sentado dentro de casa, se será capaz de resistir à tempestade e ao vento lá fora? Você nunca esteve na tempestade. Vá e veja! Tentativa e erro é a única maneira. Vá e veja — talvez você seja derrotado, mas mesmo na derrota vai se tornar mais forte do que é hoje.

Se você for derrotado por uma experiência, depois por outra e mais outra, o simples fato de ir contra a tempestade vai deixá-lo cada vez mais forte. Um dia chegará em que você simplesmente começará a gostar da tempestade, simplesmente começará a dançar na tempestade. Então a tempestade não será um inimigo — essa também é uma oportunidade, uma oportunidade radical, de ser.

Lembre-se: nunca as pessoas se tornam um ser de maneira agradável; do contrário, isso aconteceria a todos. Lembre-se, tornar-se um ser não pode acontecer de maneira conveniente; do contrário, todo mundo não teria nenhum problema. Tornar-se um ser acontece apenas quando se correm riscos, quando se enfrenta o perigo. E o amor é o maior perigo que existe. Ele requer a totalidade do seu ser.

Portanto, não tenha medo; vá de encontro a ele. Se o relacionamento sobreviver à verdade, ele será lindo. Se ele morrer, então também será bom porque um relacionamento falso terminou e agora você será mais capaz de partir para outro relacionamento, mais verdadeiro, mais sólido, mais preocupado com a essência.

Mas lembre-se sempre, a falsidade nunca compensa; ela parece compensar, mas não compensa. Apenas a verdade compensa — e de início nunca parece que a verdade vale a pena. Parece que ela estraga tudo. Se você a olhar de fora, a verdade parecerá muito, mas muito perigosa, terrível. Mas essa é uma visão de fora. Se você a assumir, a verdade será apenas uma coisa bela. E depois que começar a experimentá-la, prová-la, você vai querer cada vez mais, porque ela lhe trará contentamento.

Você prestou atenção? É mais fácil ser sincero com estranhos. As pessoas que viajam de trem começam a conversar com estranhos e afirmam coisas que nunca afirmaram antes aos amigos, porque com os estranhos não há nada em jogo. Depois de meia hora, a sua estação vai chegar e você vai descer; você vai esquecer e ele irá esquecer o que você disse. Portanto, o que quer que você tenha dito não faz diferença. Nada está em jogo com um estranho.

Ao falar com estranhos, as pessoas são mais sinceras, e elas abrem o coração. Mas ao falar com os amigos, com os parentes — com o pai, a mãe, a esposa, o marido, o irmão, a irmã — há uma profunda inibição inconsciente. "Não diga isso, ele pode ficar magoado. Não faça isso, que ela pode não gostar. Não se comporte dessa maneira; o pai está velho e poderá ficar chocado." Assim vamos nos controlando. Pouco a pouco, a verdade é abandonada nas fundações do seu ser e você se torna mais engenhoso e esperto com o que é falso. Você segue sorrindo falsos sorrisos, que estão apenas desenhados nos lábios. Segue dizendo coisas boas, que não significam nada. Fica entediado com o namorado ou com o pai, mas continua dizendo: "Que bom ver você!" E todo o seu ser diz: "Ora, deixe-me em paz!" Mas verbalmente você segue fingindo. E eles também estão fazendo a mesma coisa; ninguém se torna consciente porque estamos todos navegando no mesmo barco.

Uma pessoa religiosa é aquela que sai desse barco e arrisca a sua vida. Ela diz: "Não importa se eu quero ou não ser sincera. Mas falsa é que não vou ser."

Não importa o que esteja em jogo; experimente, mas não continue seguindo o caminho da inverdade. O relacionamento pode ser forte o bastante, pode resistir à verdade. Então ele é muito, muito bonito. Se você não puder ser sincero com a pessoa a quem ama, então, quando vai ser sincero? Onde? Se não puder ser sincero com a pessoa que pensa que o ama — se tem medo até mesmo de lhe revelar a verdade, de desnudar-se espiritualmente, se até mesmo ali estiver escondendo — então, onde encontrará um momento e um lugar onde possa ser totalmente livre?

Esse é o significado do amor: que no mínimo na presença de uma pessoa podemos nos desnudar completamente. Nós sabemos que ela nos ama; portanto, não seremos mal-interpretados. Sabemos que ela nos ama; assim o medo desaparece. Podemos revelar tudo. Podemos abrir todas as portas, podemos convidar a pessoa a entrar. Podemos começar a participar do ser de outra pessoa.

Amor é participação; portanto, no mínimo com a pessoa a quem você ama, não seja falso. Eu não estou dizendo para você sair à rua e ser sincero, porque isso criará problemas desnecessários no momento. Mas comece com a pessoa a quem você ama, depois, com a família, e depois com as pessoas que estão um pouco além. Pouco a pouco, você vai aprender que ser sincero é tão bonito que vai ser capaz de apostar tudo nisso. Então, na rua, a verdade simplesmente se torna o seu modo de viver. No alfabeto do amor, a verdade tem de ser aprendida com aqueles que estão muito próximos, porque eles irão entender.

APRENDA A LINGUAGEM DO SILÊNCIO

Você sempre permaneceu unido apenas informalmente, e quando está unido formalmente a alguém pode continuar enganando a respeito de mil e uma coisas disparatadas, porque nada importa — é só um passatempo.

Mas quando você começa a se sentir mais próximo de alguém e surge uma intimidade, então até mesmo uma simples palavra que pronuncie é importante. Então você não pode brincar com as palavras com tanta facilidade, porque agora tudo tem significado. Portanto, haverá lacunas de silêncio. A princípio você se sentirá estranho, porque não está acostumado ao silêncio. Você acha que deve dizer algo; do contrário, o que o outro irá pensar?

Sempre que você se aproxima de alguém, sempre que há algum tipo de amor, o silêncio vem e não há nada a dizer. Na verdade, não há nada a dizer — não há nada. Com um estranho, há muito a dizer; com os amigos, nada a dizer. E o silêncio se torna pesado porque você não está acostumado com ele.

Você não sabe o que é a música do silêncio. Você só conhece uma maneira de se comunicar, e essa é verbal, por intermédio da mente. Você não sabe como se comunicar por intermédio do coração, coração a coração, em silêncio. Você não sabe como se comunicar apenas estando ali presente, por intermédio da sua presença. Você está evoluindo, e os padrões antigos de comunicação estão ficando insuficientes. Você terá de desenvolver novos padrões de comunicação não-verbal. Quanto mais alguém amadurece, mais necessária é a comunicação não-verbal. A linguagem é necessária porque não sabemos como nos comunicar. Quando sabemos como fazê-lo, pouco a pouco, a linguagem não é necessária. A linguagem é apenas um meio muito primário. O meio verdadeiro é o silêncio. Portanto, não tome uma atitude errada; do contrário, irá parar de crescer. Nada faz falta quando a linguagem começa a desaparecer; essa é uma idéia errada. Algo novo tem de aparecer, e os antigos padrões não são suficientes para contê-lo. Você está crescendo e suas roupas estão ficando apertadas. Não é que esteja faltando algo; algo está sendo acrescentado a você a cada dia.

Quanto mais você medita, mais você ama e mais se relaciona. E, por fim, chega o momento em que apenas o silêncio convém. Assim, da próxima vez em que estiver com alguém e não estiver se comunicando com palavras, e sentir-se pouco à vontade, fique feliz. Mantenha o silêncio e deixe que o silêncio estabeleça a comunicação.

A linguagem é necessária para aproximar pessoas com quem você não tem um relacionamento amoroso. A não-linguagem é necessária para pessoas com quem você tem um relacionamento amoroso. É preciso tornar-se inocente outra vez como uma criança, e calado. Os gestos sairão — às vezes vocês sorriem e dão-se as mãos, ou às vezes vocês apenas ficam em silêncio, olhando um nos olhos do outro, sem fazer nada, só estando ali, presentes. As presenças se encontram e se fundem, e algo acontece que só vocês sabem. Só vocês, com quem está acontecendo — ninguém mais vai saber, tal a profundidade em que acontece.

Aproveite esse silêncio; sinta-o, prove-o e saboreie-o. Logo você vai ver que ele tem a sua própria comunicação; que ela é maior, mais elevada, mais secreta e mais profunda. E que a comunicação é sagrada; há uma pureza em torno dela.

QUATRO ARMADILHAS

As pessoas têm medo da grande música, as pessoas têm medo da grande poesia, as pessoas têm medo da intimidade profunda. Os casos de amor entre as pessoas são do tipo em que há apenas um breve envolvimento seguido de fuga. Elas não se aprofundam umas nas outras porque têm medo — as profundezas da outra pessoa refletem o próprio ser. Nessas profundezas, nesse espelho do ser do outro, se você não se encontrar — se o espelho permanecer vazio, se ele não refletir nada —, o que poderá acontecer?

O HÁBITO DA REAÇÃO

~

A reação pertence ao passado, a resposta ao presente. Você reage com base em antigos padrões. Alguém insulta você; de repente, o antigo mecanismo começa a funcionar. No passado, as pessoas insultaram você e você se comportou de determinada maneira; você se comporta da mesma maneira de novo. Você não está respondendo a esse insulto e a essa pessoa; você está simplesmente repetindo um velho hábito. Você não atentou para essa pessoa e para esse novo insulto — ele tem um sabor diferente —, você está funcionando apenas como um robô. Você tem um determinado mecanismo dentro de si; aperta o botão e diz: "Este homem me insultou", e então reage. A reação não é em face da situação verdadeira; é algo projetado. Você viu o passado nesse homem.

Aconteceu: Buda estava sentado embaixo de uma árvore falando aos seus discípulos. Um homem se aproximou e deu-lhe um tapa no rosto. Buda esfregou o local do tapa e perguntou ao homem:

— E agora? O que vai querer dizer?

O homem ficou um tanto confuso porque ele próprio não esperava que, depois de dar um tapa no rosto de alguém, essa pessoa perguntasse: "E agora?" Ele não passara por essa experiência antes. Ele insultava as pessoas e elas ficavam com raiva e reagiam. Ou, se fossem covardes e fracas, sorriam, tentando suborná-lo. Mas Buda não era nem uma coisa nem outra; ele não ficara com raiva nem ofendido, nem tampouco fora covarde. Apenas fora sincero e perguntara: "E agora?" Não houve reação da sua parte.

Os discípulos de Buda ficaram com raiva, reagiram. O discípulo mais próximo, Ananda, disse:

— Isso foi demais; não podemos tolerar. Buda, guarde os seus ensinamentos com o senhor e nós vamos mostrar a este homem que ele não pode fazer o que fez. Ele tem de ser punido por isso. Ou então todo mundo vai começar a fazer dessas coisas.

— Fique quieto — interveio Buda. — Ele não me ofendeu, mas *você* está me ofendendo. Ele é novo, um estranho. E pode ter ouvido alguma coisa sobre mim de alguém, pode ter formado uma idéia, uma noção a meu respeito. Ele não bateu em mim; ele bateu nessa noção, nessa idéia a meu respeito; porque ele não me conhece, como ele pode me ofender? As pessoas devem ter falado alguma coisa a meu respeito, que "aquele homem é um ateu, um homem perigoso, que tira as pessoas do bom caminho, um revolucionário, um corruptor". Ele deve ter ouvido algo sobre mim e formou um conceito, uma idéia. Ele bateu nessa idéia.

"Se vocês refletirem profundamente", continuou Buda, "ele bateu na própria mente. Eu não faço parte dela, e vejo que este pobre homem tem alguma coisa a dizer, porque essa é uma maneira de dizer alguma coisa; ofender é uma maneira de dizer alguma coisa. Há momentos em que você sente que a linguagem é insuficiente: no amor profundo, na raiva extrema, no ódio, na oração. Há momentos de grande intensidade em que a linguagem é impotente; então você precisa fazer alguma coisa. Quando vocês estão apaixonados e beijam ou abraçam a pessoa amada, o que estão fazendo? Estão dizendo algo. Quando vocês estão com raiva, uma raiva intensa, vocês batem na pessoa, cospem nela, estão dizendo algo. Eu entendo este homem. Ele deve ter mais alguma coisa a dizer; por isso perguntei: 'E agora?'"

O homem ficou ainda mais confuso! E Buda disse aos seus discípulos:

— Estou mais ofendido com vocês porque vocês me conhecem, viveram anos comigo e ainda reagem.

Atordoado, confuso, o homem voltou para casa. Naquela noite, ele não conseguiu dormir. É difícil, quando você vê um Buda, é difícil dormir de novo da maneira como costumava dormir; é impossível. Uma vez após outra ele era assombrado pela experiência. Ele não conseguia explicar a si mesmo o que havia acontecido. Seu corpo todo tremia e transpirava copiosamente. Ele nunca cruzara com um homem daqueles; ele despedaçara toda a sua mente, tudo em que acreditava, todo o seu passado.

Na manhã seguinte, o homem voltou lá e atirou-se aos pés de Buda. De novo, Buda lhe perguntou:

— E agora? Esse seu gesto também é uma maneira de dizer alguma coisa que não pode ser dita com a linguagem. Ao vir tocar os meus pés, você está dizendo algo que não pode ser dito comumente, pois no caso as palavras são insuficientes, não podem conter essas idéias. — Voltando-se para os discípulos, Buda chamou: — Olhe, Ananda, este homem aqui de novo. Ele está dizendo alguma coisa. Este homem é uma pessoa de emoções profundas.

O homem olhou para Buda e disse:

— Perdoe-me pelo que fiz ontem.

— Perdoar? — exclamou Buda. — Mas eu não sou o mesmo homem a quem você fez aquilo. O Ganges continua correndo, nunca é o mesmo Ganges de novo. Todo homem é um rio. O homem em quem você bateu não está mais aqui: eu apenas me pareço com ele, mas não sou o mesmo; aconteceu muita coisa nestas vinte e quatro horas! O rio correu bastante. Portanto, não posso perdoar você porque não tenho rancor contra você.

"E você também é outro", continuou Buda. "Posso ver que você não é o mesmo homem que veio aqui ontem, porque aquele homem estava com raiva; ele estava indignado! Ele me bateu e você está inclinado aos meus pés, tocando os meus pés; como pode ser o mesmo homem? Você não é o mesmo homem; portanto, vamos esquecer tudo. Essas duas pessoas: o homem que bateu e o homem em quem ele bateu não estão mais aqui. Venha cá. Vamos conversar."

Isso é resposta.

A reação pertence ao passado. Se você reagir de acordo com os antigos hábitos, sem pensar, então não estará respondendo. Ser compreensivo é ser totalmente vivo neste momento, aqui e agora. A resposta é um fenômeno bonito, é a vida. A reação está morta; é feia, podre, é um cadáver. Noventa e nove por cento do tempo você reage e chama a isso de resposta. Raramente acontece na sua vida de você responder; mas sempre que isso acontece você tem um vislumbre. Sempre que isso acontece, a porta do desconhecido se abre.

Volte para casa e observe a sua esposa com respostas, não com reações. Eu observo as pessoas. Um homem pode ter vivido com uma mulher por trinta, quarenta anos, e nunca parou para olhar para ela! Ele sabe que ela é a "patroa", a mulher de sempre que ele acha que conhece. Mas o rio corre sem parar o tempo todo. Essa mulher não é a mesma com quem ele se casou. Aquele é um fenômeno do passado, aquela mulher não existe mais em nenhum lugar agora; esta é uma mulher inteiramente nova.

A cada momento você nasce de novo. A cada momento você morre e a cada momento você nasce. Mas você observa a sua esposa, a sua mãe, o seu pai, o seu amigo? Você parou de olhar porque pensa que estão todos velhos e que não há razão para observá-los. Volte lá e olhe de novo com outros olhos, como se observasse um estranho, e ficará surpreso ao notar o quanto essa mulher de sempre mudou.

Mudanças enormes acontecem diariamente. Trata-se de um fluxo. Tudo continua fluindo, nada está parado. Mas a mente é uma coisa morta, é um fenômeno imobilizado. Agindo com a mente imóvel, você vive uma vida morta. Se não vive realmente, você já está morto e enterrado.

Livre-se das reações. E tenha cada vez mais respostas. Ser compreensivo é ter a capacidade de responder. Ser compreensivo, estar sempre respondendo, é ser sensível. Mas sensível ao aqui e agora.

APEGO À SEGURANÇA

~~~

Nenhum relacionamento pode ser seguro. Não é da natureza dos relacionamentos ser seguros; e, se algum relacionamento for seguro, ele perderá toda a atração. Portanto, esse é um problema para a mente. Se você quer desfrutar um relacionamento, ele tem de ser inseguro. Se você o torna completamente seguro, absolutamente seguro, então você não pode desfrutá-lo — ele perde todo o encanto, toda a atração. A mente não pode se satisfazer nem com isso nem com aquilo, portanto está sempre em conflito e confusa. Ela quer um relacionamento que seja vivo e seguro, mas isso é impossível porque uma pessoa viva, ou um relacionamento vivo, ou qualquer coisa que seja viva, tem de ser imprevisível. O que vai acontecer no momento seguinte não pode ser previsto. E por ser imprevisível esse momento se torna intenso.

Você tem de viver esse momento do jeito mais total possível, porque o momento seguinte pode não chegar nunca. Pode ser que você não esteja presente; o outro poderá não estar. Ou ambos podem estar presentes mas o relacionamento não. Todas as possibilidades continuam abertas. O futuro sempre permanece aberto, o passado está sempre fechado. E entre os dois está o presente, um momento único do presente, sempre vibrante, fugidio. Mas é assim que a vida é. O fugidio e o vibrante fazem parte do ser vivo — a hesitação, a obscuridade, a indefinição.

O passado está fechado. Tudo aconteceu e agora nada pode ser mudado; logo, tudo está absolutamente fechado. O futuro está absolutamente aberto, nada pode ser previsto. E entre os dois está o presente, com um pé no passado, outro no futuro. Portanto, a mente permanece sempre numa dicotomia, num estado dividido. Ela está sempre dividida, ela é sempre esquizofrênica.

Você precisa entender que é assim que as coisas são e não se pode fazer nada a respeito. Se você quiser ter um relacionamento muito seguro, terá de amar um homem morto; mas então não vai mais gostar dele. É o que acontece a um amante quando ele se torna o marido — o marido é o amante morto, a esposa é a amante morta. O passado tornou-se tudo, e agora o passado define o futuro. Na verdade, se você é esposa, não tem futuro — o passado vai continuar se repetindo, todas as portas estão fechadas. Se você é marido, você não tem futuro; você está confinado, está numa prisão.

Portanto, a segurança é o que se busca sem cessar; mas quando você a encontra, sacia-se com ela. Observe as expressões de maridos e esposas. Eles encontraram a segurança — a segurança tão sonhada e buscada — e agora tudo está na sua conta bancária, e a lei, o tribunal, a polícia, estão ali para tornar tudo seguro. Mas então todo o charme, toda a poesia se perdeu; não há mais romance. Agora eles são pessoas mortas — eles estão simplesmente repetindo o passado, eles vivem de lembranças.

Ouça esposas e maridos conversando. A esposa continua dizendo que o marido não a ama como antes, e eles continuam falando sobre os momentos do passado, a lua-de-mel e outras coisas. Que absurdo! Vocês ainda estão vivos. Este momento pode ser uma lua-de-mel. Este momento pode ser vivido, mas vocês estão falando do passado e tentando repeti-lo.

A segurança nunca satisfaz — e na insegurança existe o medo, medo de perder o relacionamento. Mas isso faz parte de estar vivo. Tudo pode ser perdido, nada é certo, e é por isso que tudo é tão bonito. E é por isso que você não precisa adiar um único momento: se quiser amar uma pessoa, ame-a aqui e agora. Ame-a, porque ninguém sabe o que vai acontecer no momento seguinte. No próximo momento poderá não haver mais a possibilidade de amar, e você vai se arrepender pelo resto da vida. Você poderia ter amado, poderia ter vivido. Então o remorso envolve a pessoa, que sente o arrependimento e uma culpa profunda, como se tivesse cometido o suicídio.

A vida é incerteza. Ninguém pode torná-la uma certeza. Não há como torná-la uma certeza. E é bom que ninguém possa torná-la uma certeza, ou então ela estaria morta. A vida é frágil, delicada, sempre indo para o desconhecido; essa é a beleza. É preciso ser corajoso, aventureiro. É preciso ser um jogador para mexer com a vida. Então, seja um jogador. Viva este momento, e viva-o na sua totalidade. Quando o momento seguinte chegar, veremos. Você estará lá para enfrentá-lo — como foi capaz de enfrentá-lo no passado, você será capaz de enfrentá-lo no futuro também — e será mais capaz porque terá mais experiência.

A questão não é saber se o outro estará presente no momento seguinte, a questão é: se ele estiver disponível para você neste momento, ame-o. Não desperdice esse momento pensando e se preocupando com o futuro, porque isso é suicídio. Não gaste um único pensamento com o futuro, porque nada pode ser feito quanto a ele; portanto, é um completo desperdício de energia. Ame esse homem e seja amada por ele.

É assim que eu penso: se você viver este momento totalmente, é bem provável que no momento seguinte essa pessoa ainda esteja disponível. Eu quis dizer talvez — não posso prometer a você, apenas pode ser que ... Mas a possibilidade é maior, porque o momento seguinte será o resultado deste. Se você amou o homem e o homem se sentiu feliz, e o relacionamento foi uma experiência linda, um êxtase, então por que ele deixaria você?

Na verdade, se você continuar se preocupando, estará fazendo com que ele a deixe, forçando-o a isso. E se você desperdiçou este momento, o próximo momento será o resultado desse desperdício; ele será detestável. E é assim que alguém se torna previsível para si mesmo. Continua cumprindo as suas próprias profecias. No momento seguinte você diz: "Sim, eu estava dizendo desde o início que este relacionamento não iria durar. Agora está provado." Você se sente muito bem de certa maneira; você sente que foi muito esperto e sábio. Na verdade, você se enganou, porque você não previu nada. Você forçou os acontecimentos para que acontecessem, porque desperdiçou o tempo que lhe foi dado, a oportunidade. Portanto, ame a pessoa e esqueça o futuro. Simplesmente livre-se do absurdo de pensar nele. Se puder amar, ame. Se não puder amar, esqueça a pessoa, encontre outra, mas não perca tempo.

A questão não é este ou aquele amante; a questão é o amor. O amor satisfaz, as pessoas são apenas pretextos. Mas tudo depende de você, porque tudo o que fizer com uma pessoa vai continuar fazendo com outra.

Se você faz uma pessoa feliz, por que ela deixaria você? Mas se você a fizer infeliz, então por que ela não deixaria você? Se você a torna infeliz, então eu vou ajudá-la a deixar você! Mas se você a fizer feliz, ninguém poderá ajudá-la a deixar você; então, não há o que discutir; ela irá lutar contra o mundo inteiro por sua causa.

Portanto, torne-se mais feliz. Use o tempo que você tem — e não haverá necessidade de pensar no futuro; o presente basta. Deste exato momento em diante, tente viver o momento. Use o momento, não para se preocupar, mas para viver. As pequenas coisas podem tornar-se lindas. Um pequeno carinho, uma alegria compartilhada, isso é tudo o que a vida é. ¤

CADA PESSOA CRIA UMA DETERMINADA SEGURANÇA PSICOLÓGICA, sem saber que a sua segurança é a sua prisão. As pessoas estão cercadas por todos os tipos de inseguranças; daí o desejo natural de criar proteção.

Essa proteção torna-se cada vez maior à medida que você fica mais atento aos perigos pelos quais está passando. A sua cela na prisão vai ficando menor, você começa a viver tão bem protegido que a vida em si torna-se impossível.

A vida só é possível na insegurança. Isso é algo muito fundamental para se entender: a vida em sua própria essência é insegurança. Enquanto você está se protegendo, está destruindo a sua própria vida. Proteção é morte, porque apenas aqueles que estão mortos nos seus túmulos estão absolutamente protegidos. Ninguém pode fazer mal a eles, ninguém pode ser injusto com eles. Não há mais morte para eles. Tudo o que poderia acontecer já aconteceu. Nada mais vai acontecer.

Você quer a segurança de um cemitério? Inadvertidamente, é isso o que todo mundo está tentando conseguir. Os métodos são diferentes, mas o objetivo é o mesmo. Dinheiro, poder, prestígio, conformidade social, pertencer a um rebanho — religioso, político —, fazer parte de uma família, de uma nação, o que você está procurando? Um medo desconhecido envolve você e você começa a criar o máximo de barreiras possíveis entre você e o medo. Mas essas mesmas barreiras vão impedir que você viva. Depois de entender isso, você vai saber o significado de *sannyas*. É aceitar a vida como insegurança, abandonando todas as defesas e permitindo que a vida se apose de você. Esse é um passo perigoso; mas os que são capazes de dá-lo são imensamente recompensados, porque só eles vivem. Os outros apenas sobrevivem.

Há uma diferença entre sobreviver e viver. Sobreviver é arrastar-se, arrastar-se, desde o berço até a sepultura, imaginando quando chegará o momento da sepultura. No espaço entre o berço e a sepultura, por que temer? A morte é certa... e você não tem nada a perder. Você nasce sem nada. Os seus medos são apenas projeções. Você não tem nada a perder, e um dia o que você tem vai desaparecer. Se a morte fosse incerta, haveria algum sentido na idéia de produzir segurança. Se você pudesse evitar a morte, então naturalmente seria perfeitamente correto criar barreiras entre você e a morte. Mas você não pode evitá-la. A morte existe — uma vez aceito isso, perca todo o medo, pois nada pode ser feito quanto a isso. Quando nada pode ser feito quanto a isso, então por que se incomodar?

É um fato bem conhecido que os soldados vão para a guerra tremendo de medo. No fundo, eles sabem que nada voltará a ser como antes ao anoitecer. Quem vai voltar e quem não vai voltar ninguém sabe, mas é possível que talvez eles próprios não voltem para casa. Mas os psicólogos têm observado um fenômeno estranho: assim que eles chegam à frente de batalha, todos os seus medos desaparecem. Eles começam a lutar alegremente. Uma vez que se aceita a morte, então que mal pode haver nisso? Depois que eles sabem que a morte é possível a qualquer momento, eles podem deixar de pensar a respeito. Eu conheci muitos soldados, tive amigos militares, e era estranho ver que eles eram as pessoas mais alegres, mais relaxadas. A qualquer momento poderia chegar a convocação — "Juntem-se às forças" — mas eles jogavam baralho, jogavam golfe, bebiam, dançavam. Eles aproveitavam a vida ao máximo.

Um dos generais costumava me procurar. Um dia eu lhe perguntei:

— O senhor está preparado quase todo dia para a morte; como é que ainda consegue ficar contente?

— O que mais há para fazer? — respondeu ele. — A morte é certa.

Depois que se aceita a certeza, a inevitabilidade, a inescapabilidade, então, em vez de se lamentar, chorar e se arrastar para a sepultura, por que não dançar? Por que não aproveitar o máximo do tempo que você tem entre o berço e a sepultura? Por que não viver cada momento totalmente, como se o próximo momento nunca mais chegasse, sem se queixar? Você pode morrer alegremente porque você viveu alegremente.

Mas muito poucas pessoas entenderam o funcionamento interno da sua própria psicologia. Em vez de viver, elas começam a se proteger.

A mesma energia que poderia ter-se tornado uma canção e uma dança é dirigida para a produção de mais dinheiro, mais poder, mais ambição, mais segurança. A mesma energia que poderia ter sido uma flor de amor imensamente bela, torna-se exatamente uma prisão no casamento.

O casamento é seguro — pela lei, pelas convenções sociais, pela nossa própria idéia de respeitabilidade e pelo que as pessoas irão dizer. Todo mundo tem medo de todo mundo; assim, as pessoas continuam fingindo. O amor desaparece — não está nas suas mãos. Ele vem como a brisa e vai como a brisa. Aqueles que estão atentos e conscientes dançam com a brisa, aproveitam o que ela tem de melhor, desfrutam o seu frescor e o seu perfume. E quando ela se vai, eles não estão tristes nem arrependidos. Ela foi um dom do desconhecido, ela pode voltar — eles esperam, e ela continua voltando vezes seguidas. Eles aprendem, devagar, com uma profunda paciência, e esperam. Mas a maioria dos seres humanos, ao longo dos séculos, tem feito exatamente o contrário. Com medo de que a brisa possa fugir, eles fecham todas as portas, todas as janelas, todas as possíveis frestas por onde ela possa escapar. Essa é uma tentativa de obter segurança; isso se chama casamento. Mas então eles ficam chocados — quando todas as janelas e todas as portas estão fechadas, depois de terem vedado todas as frestas, em vez de ter uma bela, fresca e perfumada brisa eles têm apenas um ar morto e estragado! Todo mundo percebe isso, mas é preciso coragem para reconhecer que eles destruíram a beleza da brisa ao capturá-la.

Na vida, nada pode ser capturado ou aprisionado. É preciso viver desimpedido, receptivamente, permitindo que todos os tipos de experiências aconteçam, agradecendo profundamente pelo tempo que durarem. Agradecido, mas não com medo do amanhã. Se o dia de hoje trouxe uma bela manhã, uma linda alvorada, cantos de pássaros, flores por toda parte, por que se preocupar com o dia de amanhã? — porque amanhã será outro dia. Talvez a alvorada tenha outras cores. Quem sabe os pássaros mudem o seu cantar; talvez se aproximem nuvens de chuva e, realmente, comece a chover. Mas isso tem a sua própria beleza, isso tem a sua própria razão de ser.

É bom que as coisas continuem mudando; que toda noite não seja igual à anterior, que cada dia não seja uma repetição exata do anterior. Algo de novo — esse é o próprio estímulo e o êxtase da vida; do contrário ficaríamos todos entediados. E aqueles que tornaram a própria vida segura *estão* entediados. Eles estão entediados com as esposas deles, estão entediados com os filhos deles, estão entediados com os amigos deles. O tédio é o que sentem milhões de pessoas, embora elas sorriem para escondê-lo.

Friedrich Nietzsche diz: "Não pense que eu sou um homem feliz. Estou sorrindo apenas para evitar as lágrimas. Eu me ocupo em sorrir para evitar as lágrimas. Se não sorrir, as lágrimas virão." Atitudes completamente erradas são ensinadas às pessoas: esconda as lágrimas, permaneça sempre à distância, mantenha os outros, no mínimo, um braço longe de você. Não permita que os outros se aproximem muito, porque então eles poderão perceber a sua tristeza interior, o seu tédio, a sua angústia; eles poderão perceber a sua doença.

Toda a humanidade está doente pela simples razão de que não permitimos que a insegurança inerente da vida seja a nossa verdadeira religião. Os nossos deuses são a nossa segurança; as nossas virtudes são a nossa segurança; o nosso conhecimento é a nossa segurança, os nossos relacionamentos são a nossa segurança. Desperdiçamos toda a nossa vida acumulando ações seguras. Nossas virtudes, austeridades, não passam de um esforço para ter segurança até mesmo depois da morte. É como abrir uma conta bancária no outro mundo.

Mas, enquanto isso, uma vida imensamente bela escorrega pelas nossas mãos. As árvores são belas porque não conhecem o medo da insegurança. Os animais silvestres têm aquela grandeza porque não sabem que existe morte, que existe insegurança. As flores podem dançar ao sol e à chuva porque não estão preocupadas com o que vai acontecer à noite. Suas pétalas irão cair e, assim como brotaram de uma força desconhecida, elas irão desaparecer no seio dessa mesma força desconhecida. Mas, enquanto isso, entre esses dois pontos do aparecimento e desaparecimento, você tem a oportunidade tanto de dançar quanto de se desesperar.

Uma pessoa autêntica simplesmente abandona a idéia de segurança e começa a viver em completa insegurança, porque essa é a natureza da vida. Você não pode mudá-la. O que você não pode mudar, aceite, e aceite com alegria. Não bata a cabeça sem necessidade contra a parede; simplesmente, saia ou entre pela porta.

LUTANDO COM A SOMBRA

🍃

Uma parábola de Chuang-tsé:
Havia um homem que estava tão perturbado pela visão da sua própria sombra e tão incomodado com as próprias pegadas, que decidiu livrar-se de ambas.

O método que ele adotou foi o de fugir delas; então, ele começou a correr, mas toda vez que pisava no chão criava uma nova pegada, enquanto a sombra o acompanhava sem a menor dificuldade.

Ele atribuiu o seu fracasso ao fato de não estar correndo bastante rápido. Então, começou a correr cada vez mais rápido, sem parar, até que finalmente caiu morto.

Ele não percebeu que bastaria ir para a sombra e a sua sombra desapareceria, e se ele se sentasse e ficasse quieto, não haveria mais pegadas.

O homem cria a sua própria confusão só porque continua se rejeitando, se condenando, sem se aceitar. Então criam-se a corrente da confusão, o caos interior e o sofrimento. Por que não se aceitar como você é? O que está errado? A própria vida o aceita como você é, mas você não.

Você tem algum ideal para alcançar. Esse ideal está sempre no futuro — ele está para acontecer, nenhum ideal pode estar no presente. E o futuro não está em nenhuma parte; ele não nasceu ainda. Mas por causa do ideal você vive no futuro, que não passa de um sonho. Por causa do ideal, você não pode viver aqui e agora. Por causa do ideal, você se condena.

Todas as ideologias, todos os ideais, são condenatórios porque criam uma imagem na mente. E quando você continua a se comparar com essa imagem, sempre vai sentir que está faltando algo, que algo está errado. Nada está faltando e nada está errado. Você é perfeito, em todos os sentidos da perfeição.

Tente entender isso, porque só então você será capaz de entender a parábola de Chuang-tsé. Essa é uma das parábolas mais belas que alguém já contou, e toca muito fundo no verdadeiro mecanismo da mente humana. Por que você continua carregando idéias na mente? Por que você não é bom o bastante assim como é? Neste exato momento, por que você não é como os deuses? Quem está interferindo? Quem está bloqueando o seu caminho? Neste exato momento, por que você não pode ter prazer e ser abençoado? Onde está o bloqueio?

O bloqueio existe pelo ideal. Como você pode ter prazer? Você está muito cheio de raiva; primeiro a raiva tem de ir embora. Como você pode ser abençoado? Você está muito cheio de sensualidade; primeiro o sexo tem de ir embora. Como você pode ser igual aos deuses celebrando este exato momento? Você está muito cheio de cobiça, paixão, indignação; primeiro eles têm de ir embora. Então você será como os deuses.

É assim que o ideal é criado e, por causa do ideal, você se condena. Compare-se ao ideal e você nunca será perfeito, é impossível. Se você disser "Se", então a bênção será impossível porque esse "se" é a maior de todas as perturbações.

Se você disser: "Se essas condições forem satisfeitas, eu serei abençoado", então essas condições nunca serão satisfeitas. E, em segundo lugar, mesmo que essas condições fossem satisfeitas, naquele momento você terá perdido a própria capacidade de celebrar e sentir prazer. E acima de tudo, quando essas condições forem satisfeitas — se é que serão, porque elas não podem ser satisfeitas — a sua mente criará novos ideais.

É assim que você tem perdido a vida em vidas seguidas. Você cria um ideal e então quer ser esse ideal; assim, você se sente condenado e inferior. Por causa da sua mente sonhadora, a sua realidade é condenada; os sonhos perturbam você.

Eu lhe digo exatamente o contrário. Seja como os deuses neste exato momento. Deixe a raiva de lado, deixe o sexo de lado, deixe a cobiça de lado — celebre a vida. E pouco a pouco você vai sentir mais alegria, menos raiva; mais contentamento, menos cobiça; mais felicidade, menos sexo. Então você chegou ao bom caminho. Não o contrário. Quando uma pessoa consegue celebrar a vida na sua totalidade, tudo o que há de errado desaparece; mas se você tenta, em primeiro lugar, cuidar para que os erros desapareçam, eles nunca desaparecem.

É como lutar contra as trevas. A sua casa está às escuras e você pergunta: "Como posso acender uma vela? Antes que eu acenda uma vela essa escuridão tem de desaparecer." É isso o que você vem fazendo. Você diz que primeiro a cobiça tem de ir embora, depois será a vez do êxtase. Você é um tolo! Você está dizendo que primeiro a escuridão deve ir embora e depois você acenderá a vela, como se a escuridão pudesse impedir você. A escuridão é uma coisa inexistente. Ela não é nada, não tem consistência. Ela é apenas uma ausência, não uma presença. Ela é apenas a ausência de luz — acenda a luz e a escuridão desaparece.

Celebre, torne-se uma chama abençoada e tudo o que existe de errado vai desaparecer. Raiva, cobiça, sexo, ou o que quer que você discrimine, não tem consistência; essas coisas são apenas a ausência de uma bênção, de uma vida em êxtase.

Porque você não pode sentir prazer, você está com raiva. Não é que alguém crie a sua raiva; porque você não pode sentir prazer, você sente tanto sofrimento. É por isso que está com raiva. Os outros são apenas um pretexto. Porque você não pode celebrar, o amor não pode acontecer a você; daí o sexo. Isso é preparar o terreno para as trevas. E então a mente diz: "Primeiro destrua esses e depois Deus descerá." Esta é uma das mais patentes estupidezas da humanidade, a mais antiga, e ela sucede a todo mundo.

É difícil para vocês pensar que neste exato momento vocês são deuses; mas eu lhes pergunto: o que está faltando? Vocês estão vivos, respirando, conscientes; de que mais vocês precisam? Neste exato momento, sejam como deuses. Mesmo que sintam que seja apenas um "como se", não se importem. Mesmo que sintam: "Estou apenas supondo que eu sou como um deus" — suponham — não se importem. Comecem com o "como se" e logo a realidade se seguirá, porque na realidade vocês *existem*. E uma vez que comecem a existir como um deus, todo sofrimento, toda confusão, toda escuridão desaparecerão. Tornem-se uma luz e essa transformação não terá condições de ser consumada.

Agora eu vou entrar nesta bela parábola.

Havia um homem que estava tão perturbado pela visão da sua própria sombra e tão incomodado com as próprias pegadas, que decidiu livrar-se de ambas.

Lembre-se, você é esse homem — esse homem existe em todo mundo. É assim que você tem se comportado; essa é também a sua lógica — fugir da sombra. Esse homem estava muito perturbado pela visão da própria sombra. Por quê? O que há de errado com a sombra? Por que você ficaria perturbado por causa de uma sombra? Porque você pode ter ouvido falar que os visionários disseram que os deuses não têm sombra. Quando eles caminham, não se cria nenhuma sombra. Aquele homem estava perturbado por causa desses deuses.

Diz-se que no céu o sol se levanta e os deuses caminham mas não fazem sombra; eles são transparentes. Mas eu lhe digo: isso é apenas um sonho. Em nenhum lugar não existe nada, nada pode existir sem uma sombra. Se algo existe, a sombra será criada. Se não existe, só então a sombra poderá desaparecer.

Existir significa criar uma sombra. A sua raiva, o seu sexo, a sua cobiça — tudo são sombras. Mas lembre-se de que elas são sombras. Elas existem num sentido, e ainda assim não existem; esse é o significado da sombra. Ela é imaterial. Uma sombra é apenas uma ausência. Você se levanta, os raios do sol caem sobre você e, por sua causa, alguns raios não podem passar. Então a imagem se cria, a imagem da sombra. É apenas uma ausência. Você obstrui o sol; é por isso que a sombra é criada.

A sombra não é material, você é material. Você é material; é por isso que a sombra é criada. Se você fosse um fantasma, então não haveria sombra. E os anjos no céu não são nada além de fantasmas, fantasmas sonhados por você e pelos seus ideólogos, homens que criam ideais. Aquele homem estava perturbado porque ouviu dizer que você só se torna um deus quando a sombra desaparece.

Havia um homem que estava tão perturbado pela visão da sua própria sombra e tão incomodado com as próprias pegadas, que decidiu livrar-se de ambas.

Quais são as suas perturbações? Se você for bem fundo, não descobrirá nada além do som dos seus passos. Por que você está tão perturbado pelo som dos seus passos? Você é material; portanto, deve haver algum som. É preciso aceitar isso. Mas o homem ouviu a história de que os deuses não têm sombra, e quando eles andam não produzem som de passos. Esses deuses não são nada além de objetos de sonho; eles existem apenas na mente. Esse céu não existe em lugar nenhum! Sempre que algo existe, o som é produzido por causa dele — passos, sombras. É assim que as coisas são; você não pode fazer nada a respeito. É assim que é a natureza. Se você tentar fazer algo a respeito, estará errado. Se tentar fazer algo a respeito, toda a sua vida será desperdiçada, e no final você vai sentir que não chegou a lugar nenhum. A sombra permanece, os passos fazem sons e a morte está batendo à porta.

Antes de a morte bater, aceite a si mesmo, e então um milagre acontece. Esse milagre acontece quando você se aceita, quando não foge de si mesmo. Agora mesmo, cada um de vocês está fugindo de si mesmo. Mesmo que vocês me procurassem, viriam até mim como parte da fuga de si mesmos. É por isso que vocês não conseguem chegar até mim; essa é a lacuna. Se vocês vierem até mim escapando de si mesmos, não poderão chegar a mim, porque todo o meu esforço é ajudar vocês a não escapar de si mesmos. Não tentem escapar de si mesmos; vocês não podem ser nenhuma outra pessoa. Vocês têm um destino e uma individualidade definidos.

Assim como o seu polegar produz um sinal, uma impressão, exclusiva e individual — esse tipo de polegar nunca existiu antes e nunca existirá de novo; ele pertence apenas a vocês, nunca haverá outro como ele — o mesmo também se aplica ao seu ser. Vocês têm um ser exclusivo e individual, incomparável; ele nunca existiu antes, nunca existirá de novo, apenas vocês o tem. Comemorem! Algo especial aconteceu a todos, Deus deu um dom exclusivo a cada um, e vocês o condenam. Vocês querem algo melhor! Vocês tentam ser mais sábios que a vida; vocês tentam ser mais sábios do que o *tao;* então vocês estão errados.

Lembrem-se, a parte jamais pode ser mais sábia que o todo, e o que quer que o todo esteja fazendo é a coisa final; vocês não podem mudar. Vocês podem fazer um esforço para conseguir isso e desperdiçar a vida, mas nada será alcançado por meio disso.

O todo é muito amplo; vocês são apenas uma célula atômica. O oceano é muito amplo; vocês são apenas uma gota nele. Todo o oceano é salgado e vocês estão tentando ser doces — isso é impossível. Mas o ego quer fazer o impossível, o difícil, o que não pode ser feito. E Chuang-tsé diz: "O fácil é o certo." Por que vocês não podem ser fáceis e aceitar? Por que não dizer sim à sombra? No momento em que você diz sim, você esquece; ela desaparece, pelo menos da mente, mesmo que permaneça com o corpo.

Mas qual é o problema? Como pode uma sombra criar um problema? Por que fazer dela um problema? Assim como vocês são agora mesmo, fazem um problema de tudo. Aquele homem estava confuso, perturbado, pela visão da própria sombra. Ele teria gostado de ser um deus, teria gostado de não ter sombra.

Mas vocês já são como um deus e não podem ser nada além do que já são. Como poderiam? Vocês só podem ser o que são — toda transformação só evolui na direção do ser, que já está ali. Vocês podem andar e bater na porta dos outros, mas isso seria apenas brincar de esconde-esconde consigo mesmo. Depende de vocês quanto vão bater na porta dos outros e quanto vão andar daqui para lá. Finalmente, vocês vão chegar à sua própria porta e à compreensão de que a sua porta sempre esteve ali. Ninguém pode tirá-la. A natureza, o Tao, não pode ser tirado de você.

Aquele homem estava perturbado por causa da própria sombra. O método que ele adotou foi o de fugir dela — esse é o método que todo mundo adota. Parece que a mente tem uma lógica viciada. Por exemplo: se vocês sentem raiva, o que vocês fazem? A mente diz: "Não fique com raiva, prometa." O que vocês fazem? Vocês a reprimem — e quanto mais vocês reprimem, mais a raiva se enraíza em vocês. Então vocês não vão ficar às vezes com raiva e às vezes sem raiva; se vocês se reprimiram demais, vão ficar *continuamente* com raiva. Ela estará no seu sangue, será um veneno em toda parte; ela irá se espalhar por todos os seus relacionamentos. Mesmo que vocês estejam amando alguém, a raiva estará lá e o amor se tornará violento. Mesmo que vocês tentem ajudar alguém, nessa ajuda haverá veneno porque o veneno estará em vocês. E todos os seus atos estarão carregados dele; eles refletirão vocês. Quando vocês sentirem isso outra vez, a mente dirá: "Você não tem se reprimido o bastante; reprima mais." A raiva existe por causa da repressão, e a mente diz: "Reprima mais!" Então haverá mais raiva.

A sua mente é sexual por causa da repressão e a mente diz: "Reprima mais. Descubra novos métodos, maneiras e meios de reprimir mais;

assim o celibato vai florescer." Mas ele não pode florescer dessa maneira. Pela repressão, o sexo não só tem um papel no corpo, ele tem um papel na mente, ele se torna cerebral. Então a pessoa continua pensando nele sem parar. Daí tanta literatura pornográfica no mundo.

Por que as pessoas gostam de ver retratos de mulheres nuas? As mulheres em si não bastam? Elas bastam, elas são mais do que bastantes! Então, qual é a necessidade? O retrato é sempre mais sensual do que a mulher real. A mulher real tem um corpo e uma sombra, e ela vai deixar rastro, vai produzir sons. Uma fotografia é um sonho; ela é absolutamente mental, cerebral, e não tem sombra. Uma mulher de verdade transpira e haverá o cheiro do corpo; um retrato nunca transpira. Uma mulher de verdade fica com raiva; um retrato nunca tem raiva. Uma mulher de verdade envelhece, fica idosa; um retrato permanece jovem e novo. Um retrato é apenas mental. Os que reprimem o sexo no corpo tornam-se mentalmente sensuais. Então a sua mente gira em torno da sexualidade, e isso acaba sendo uma doença.

Se você sentir fome, tudo bem, coma; mas se você pensa o tempo todo em comida, então será uma obsessão e uma doença. Quando você sente fome está tudo bem se você comer e acabar com ela. Mas você nunca acaba com nada, e tudo vai para a mente.

A esposa do Mulla Nasruddin estava doente e tinha sido operada. Alguns dias antes, ela voltara do hospital, e então eu perguntei a ele: "Como está a sua esposa? Ela se recuperou da operação?" Ele disse: "Não, ela ainda está falando nela."

Se você pensa em alguma coisa, fala sobre alguma coisa, ela existe. E agora ela é mais perigosa porque o corpo vai se recuperar, mas a mente pode continuar sem parar, *ad infinitum*. O corpo pode se recuperar, mas a mente nunca vai se recuperar.

Se você reprime a raiva no corpo, ela vai para a mente. O problema não foi eliminado; ele foi sufocado. Reprima alguma coisa e ela vai

LUTANDO COM A SOMBRA

para as raízes. Então a mente vai dizer que, se você não está conseguindo, algo está errado, você não está se esforçando o bastante; se esforce mais.

O método que ele adotou foi o de fugir delas.

A mente tem apenas duas alternativas: lutar ou fugir. Sempre que existe um problema, a mente diz: lute ou fuja dele — e ambas estão erradas. Se lutar, você permanecerá com o problema. Se lutar, o problema estará ali continuamente. Se lutar, você estará dividido, porque o problema não está fora; o problema está dentro.

Por exemplo, se existe raiva e você luta, o que acontece? Metade do seu ser está com raiva e metade com essa idéia de luta. É como se as suas mãos estivessem lutando uma com a outra. Qual venceria? Você estaria simplesmente gastando energia. Nenhuma vai ser vitoriosa. Você pode se iludir achando que agora conseguiu reprimir a sua raiva, que agora você está sentado sobre a sua raiva. Mas então vai ter de sentar sobre ela continuamente, não terá nem mesmo um momento de folga. Se você se esquecer dela por um único momento, perderá a sua vitória inteira.

Então as pessoas que reprimiram alguma coisa estão sempre sentadas sobre essas coisas reprimidas e estão sempre com medo. Não conseguem relaxar. Por que fica tão difícil relaxar? Por que você não consegue dormir? Por que você não consegue relaxar? Por que você não consegue ficar relaxado? Porque você reprimiu muitas coisas. Você tem medo de que, se relaxar, elas vão aparecer. Os seus assim chamados religiosos não conseguem relaxar; eles são tensos, e a tensão acontece por causa disso. Eles reprimiram algo e você pede para eles relaxarem? Eles sabem que, se relaxarem, o inimigo vai aparecer. A mente pensa, ou lute — e se lutar, então reprima — ou fuja. Mas para onde fugir? Mesmo se você for para o Himalaia, a raiva irá acompanhá-lo; ela é a sua sombra. O sexo vai acompanhar você; ele é a sua sombra. Onde quer que você vá, a sua sombra estará com você.

O método que ele adotou foi o de fugir delas; então começou a correr, mas toda vez que ele pisava no chão criava uma nova pegada, enquanto a sombra o acompanhava sem a menor dificuldade.

Ele ficou surpreso! Ele corria tão depressa, mas a sombra não tinha a menor dificuldade. A sombra o seguia facilmente; ela nem sequer transpirava, nem resfolegava. Não havia dificuldade por parte da sombra porque uma sombra não é material, uma sombra não é ninguém. O homem podia transpirar, podia ter dificuldade para respirar, mas a sombra estava sempre a um passo dele. A sombra não pode deixar você dessa maneira. Nem lutar nem fugir irão ajudar. Para onde você vai? Aonde quer que vá, você se leva consigo e a sua sombra estará lá.

Ele atribuiu o seu fracasso ao fato de não estar correndo rápido o bastante. Então começou a correr cada vez mais rápido, sem parar, até que finalmente caiu morto.

É preciso entender a lógica da mente. Se você não entender, você será uma vítima dela. A mente tem uma lógica viciada, ela é um círculo vicioso, ela é circular. Se você der ouvidos a ela, então cada passo levará você cada vez mais para o círculo. Esse homem é perfeitamente lógico; você não consegue encontrar nenhum defeito, nenhuma falha, na lógica dele. Não existe nenhuma brecha; ele tem uma lógica perfeita como Aristóteles. Ele diz que, se a sombra o está seguindo, isso mostra que ele não está correndo rápido o bastante. Ele terá de correr cada vez mais rápido, e então chegará o momento em que a sombra não será capaz de acompanhá-lo. Mas a sombra é dele, e a sombra não é ninguém. Não é outra pessoa seguindo você; se fosse, a lógica dele estaria correta.

O homem estaria certo se outra pessoa o estivesse seguindo. Então ele estaria certo, absolutamente certo: ele não estaria correndo rápido o bastante e seria por isso que o outro o estaria acompanhando. Mas ele estava errado porque não havia mais ninguém. A mente era inútil.

Mente para os outros, meditação para si mesmo. Mente para os outros, não-mente para si mesmo — essa é toda a ênfase de Chuang-tsé, ou do Zen, ou do Sufi, ou do Hassidismo, de todos os que sabem; de Buda, Jesus, Maomé, de todos os que conheceram. A ênfase toda é que você pode usar a mente para os outros e a não-mente para você.

Esse homem teve problemas porque usou a mente para si mesmo, e a mente tem um padrão próprio. A mente disse: "Mais depressa, mais depressa! Se você for rápido o bastante, essa sombra não será capaz de acompanhá-lo."

Ele atribuiu o seu fracasso ao fato de não estar correndo rápido o bastante.

O fracasso existiu, em primeiro lugar, porque ele estava correndo. Mas a mente não pode dizer isso, a mente não foi alimentada para isso. Ela é um computador, você tem de alimentá-la; ela é um mecanismo. Ela não pode lhe dar nada de novo; ela só pode lhe dar aquilo com que você a alimentou. A mente não pode lhe dar nada de novo; tudo o que ela lhe dá é o que tomou emprestado. E se você está viciado em dar ouvidos a ela, sempre, terá problemas quando se voltar para si mesmo. Quando houver um diálogo, quando você se voltar para a fonte, você terá dificuldade. Então essa mente é absolutamente inútil — não só inútil, é um verdadeiro obstáculo, é nociva. Portanto, livre-se dela.

Eu ouvi dizer: aconteceu que um dia o filho do Mulla Nasruddin chegou em casa de volta da escola progressista trazendo um livro sobre sexologia. A mãe ficou muito perturbada mas esperou que o Mulla Nasruddin chegasse. Era preciso fazer alguma coisa; a tal escola progressista estava indo longe demais! Quando o Mulla Nasruddin chegou, a esposa mostrou-lhe o livro.

Nasruddin subiu a escada para falar com o filho. Encontrou-o no quarto, beijando a empregada. Então Nasruddin disse:

— Filho, quando tiver terminado a lição de casa, vá lá para baixo.

Isso é lógico! A lógica tem as suas próprias etapas, e cada etapa segue a outra, ela não tem fim. O tal homem acompanhou a mente; portanto, ele correu cada vez mais rápido sem parar até finalmente cair morto. Cada vez mais rápido sem parar... então apenas a morte pode acontecer.

Alguma vez você observou que a vida ainda não aconteceu para você? Você observou que nunca houve um único momento da *vida como tal* acontecendo para você? Você não viveu um único momento a bênção de que Chuang-tsé e Buda falam. E o que vai acontecer com você? Nada vai acontecer a você a não ser a morte. E quanto mais próximo você chega da morte, mais depressa você corre, porque você pensa que, se for mais rápido, escapará.

Aonde você vai tão depressa? O homem e a mente do homem sempre foram loucos por velocidade, como se fôssemos a algum lugar e a velocidade fosse necessária. Então continuamos correndo cada vez mais rápido. Aonde você vai? Finalmente, seja você lento ou rápido, você alcança a morte. E todo mundo chega no momento certo, nem um único momento se perde. Todo mundo chega lá na hora certa, ninguém nunca se atrasa. Eu ouvi dizer que algumas pessoas encontraram a morte antes do tempo, mas nunca ouvi dizer que alguém tenha chegado lá atrasado. Algumas pessoas chegam lá antes do tempo por causa dos médicos...

Ele atribuiu o seu fracasso ao fato de não estar correndo rápido o bastante. Então começou a correr cada vez mais rápido, sem parar, até que finalmente caiu morto. Ele não percebeu que bastaria ir para a sombra e a sua sombra desapareceria.

Era fácil, a coisa mais fácil! Se você simplesmente vai para a sombra, onde não há sol, a sombra desaparece, porque a sombra é causada pelo sol. Ela é a ausência dos raios solares. Se você estiver embaixo de uma árvore, à sombra, a sombra desaparece.

Ele não percebeu que bastaria ir para a sombra e a sua sombra desapareceria.

Essa sombra chama-se silêncio, essa sombra chama-se paz interior. Não dê ouvidos à mente; simplesmente vá para a sombra, para o silêncio interior, onde os raios do sol não batem.

LUTANDO COM A SOMBRA

Você continua na periferia; esse é o problema. Lá você está na luz do mundo exterior e produz-se a sombra. Feche os olhos, entre na sombra. No momento em que você fecha os olhos, o sol não existe mais. Daí todas as meditações serem feitas com os olhos fechados — você entra na sua própria sombra. Dentro não existe nem sol nem sombra. Do lado de fora está a sociedade, e do lado de fora estão todos os tipos de sombras. Você já percebeu que a sua raiva, o seu sexo, a sua cobiça, a sua ambição, todos fazem parte da sociedade? Se você realmente entra e deixa a sociedade de fora, onde está a raiva? Onde está o sexo? Mas, lembre-se: no início, quando você fecha os olhos, eles não estão realmente fechados. Você carrega imagens de fora para dentro, e encontra a mesma sociedade refletida. Mas se você continuar simplesmente indo, indo, indo para dentro, cedo ou tarde a sociedade será deixada do lado de fora. Você entra, a sociedade fica de fora — você passou da periferia para o centro.

Nesse centro, existe um silêncio: nada de raiva nem de anti-raiva; nada de sexo nem de celibato; nada de cobiça nem de não-cobiça; nada de violência, nada de não-violência — porque esses ficam todos de fora. Lembre-se, os opostos também ficam de fora — dentro você não é nada, nem isso nem aquilo. Você é simplesmente um ser, puro. É isso o que eu quero dizer com ser como um deus — um ser puro sem opostos à volta, lutando ou fugindo, não — simplesmente sendo. Você foi para dentro da sombra.

Ele não percebeu que bastaria ir para a sombra e a sua sombra desapareceria, e se ele se sentasse e ficasse quieto, não poderia haver mais pegadas.

Era realmente tão fácil. Mas o que é fácil é tão difícil para a mente, porque a mente sempre acha mais fácil correr, lutar, porque então há alguma coisa a fazer. Se você disser para a mente: "Não faça nada", essa é a coisa mais difícil. A mente vai responder: "Pelo menos me dê um mantra, para que, com os olhos fechados, eu possa dizer Aum, Aum...

Ram, Ram. Algo para fazer, porque, como podemos ficar sem fazer nada, sem algo para correr atrás, para encontrar?"

A mente é atividade, e o ser é absoluta inatividade. A mente está correndo, o ser está sentado. A periferia se move, o centro não. Observe a roda de um trem em movimento: a roda está girando, mas o centro ao redor do qual toda a roda gira está estático, absolutamente estático, imóvel. O seu ser está eternamente imóvel, e a sua periferia está em contínuo movimento. Essa é a questão a lembrar na dança dos dervixes sufis, a meditação do giro. Quando você a praticar, deixe o corpo tornar-se a periferia — o corpo se move, enquanto você está eternamente imóvel. Torne-se uma roda. O corpo passa a ser a roda, a periferia, e você é o centro. Logo você vai perceber que, embora o corpo vá se movimentando cada vez mais rápido, dentro você pode sentir que não está se movimentando; e quanto mais rápido o corpo se movimentar, melhor, porque então crie-se o contraste. De repente, o corpo e você estão separados.

Mas você gira continuamente com o corpo, de modo que não existe separação. Vá sentar-se. Simplesmente sentar-se é suficiente, não fazendo nada. Simplesmente feche os olhos e fique sentado, fique sentado, fique sentado e deixe que tudo se aquiete. Vai levar tempo, porque você esteve inquieto por muitas vidas. Você tentou criar todos os tipos de perturbações. Levará tempo, mas apenas tempo. Você precisa não fazer nada; você simplesmente olha e senta-se, olha e senta-se... As pessoas zen chamam a isso de *zazen*. Zazen significa simplesmente sentar-se sem fazer nada.

Isso é o que Chuang-tsé diz: *Ele não percebeu que bastaria ir para a sombra e a sua sombra desapareceria, e se ele se sentasse e ficasse quieto, não poderia haver mais pegadas.*

Não havia nenhuma necessidade de lutar e não havia nenhuma necessidade de fugir. A única coisa necessária era simplesmente ir para a sombra e sentar-se quieto.

E isso é para ser feito durante toda a sua vida. Não lute com nada e não tente fugir de nada. Deixe que as coisas tomem o próprio curso. Você simplesmente fecha os olhos e vai para dentro, para o centro, onde nunca penetrou nenhum raio de sol. Ali não existe sombra — e na verdade esse é o significado do mito de que os deuses não têm sombra. Não que existam em algum lugar deuses que não têm sombra; mas o deus que existe dentro de você não tem sombra porque nada do exterior penetra ali. E não pode penetrar; ele está sempre na sombra.

Chuang-tsé chama essa sombra de Tao, a sua natureza mais interior, absolutamente mais interior.

Então, o que é para ser feito? Um, não dê ouvidos à mente. Ela é um bom instrumento para o exterior, mas é absolutamente uma barreira para o interior. A lógica é boa para as outras pessoas; ela não é boa para você mesmo. Ao tratar das *coisas,* a lógica e a dúvida são necessárias. A ciência depende da dúvida e a religiosidade depende da fé, da confiança. Simplesmente sente-se, com uma confiança profunda em que a sua natureza interior vai se encarregar de tudo. Ela sempre se encarrega; você tem apenas de esperar; só é preciso ter paciência. E a tudo o que a sua mente disser, simplesmente não dê ouvidos.

Ouça a mente no que se referir ao mundo exterior; não ouça a mente quanto ao interior — simplesmente, deixe-a de lado. E não há necessidade de lutar com ela porque, se você lutar com ela, ela poderá influenciá-lo. Simplesmente, ponha-a de lado. Isso é que é fé. A fé não é uma luta com a mente — se você lutar, então o inimigo impressiona você. E lembre-se, nem mesmo os amigos têm tanta influência quanto os inimigos. Se lutar com alguém continuamente, você será influenciado por essa pessoa porque vai ter de usar as mesmas técnicas para lutar com ela. No fim das contas, os inimigos tornam-se semelhantes. É muito difícil ficar distante e apartado do inimigo; o inimigo influencia você.

E aqueles que começam a lutar com a mente tornam-se grandes filósofos. Eles podem falar contra a mente, mas toda a sua conversa é sobre a mente. Eles podem dizer: "Seja contra a mente", mas o que quer que eles digam estará vindo da mente, mesmo a inimizade. Você tem de permanecer com o seu inimigo, e pouco a pouco os inimigos fazem acordos e tornam-se a mesma coisa.

Lembre-se sempre: não lute com a mente, ou você terá de se render aos acordos. Se quiser convencer a mente, você terá de ser questionador, e esse é todo o problema. Se tiver de convencer a mente, você terá de usar palavras; essa é toda a questão. Simplesmente ponha-a de lado. Essa marginalização não é contra a mente, é além da mente. É simplesmente pôr de lado. Como quando você vai sair e calça os sapatos, e quando volta você os põe de lado — não há luta, nada. Você não diz para os sapatos: "Agora eu vou entrar e vocês não são mais necessários; então vou deixá-los de lado", você simplesmente os deixa de lado; eles não são mais necessários.

Exatamente assim — o fácil é o certo — não há luta. O fácil é o certo — não há confronto nem conflito. Você simplesmente põe a mente de lado, entra na sombra interior e senta-se. Então não se ouvem passos, e nenhuma sombra o segue; você fica parecido com um deus. E pode se tornar apenas o que já é. Então eu lhe digo, você é parecido com os deuses, todos vocês são deuses. Não se contentem com menos do que isso.

FALSOS VALORES

Uma coisa muito fundamental tem de ser lembrada: o homem é muito hábil em criar falsos valores. Os verdadeiros valores exigem a sua totalidade, requerem todo o seu ser; os falsos valores são muito fáceis de adquirir. Ele se parecem com os valores verdadeiros, mas não requerem a sua totalidade — apenas uma formalidade superficial.

Por exemplo, em lugar do amor, da confiança, nós criamos o valor falso da "lealdade". A pessoa leal está apenas superficialmente preocupada com o amor. Ela representa todos os gestos do amor, mas não quer dizer nada com eles; o seu coração fica de fora desses gestos formais.

Um escravo é leal — mas você acha que alguém que seja um escravo, que teve a sua condição humana diminuída, de quem todo o orgulho e toda a dignidade foram tirados, pode amar a pessoa que o prejudicou assim tão profundamente? Ele a odeia, e se aparecer alguma oportunidade, irá matá-la! Mas na superfície ele vai permanecer leal — e precisa. Ela não faz isso por prazer, mas por medo. Não é por amor, é por causa de uma mente condicionada que diz que se deve ser leal ao seu senhor. É a lealdade do cão ao seu dono.

O amor precisa de uma resposta mais completa. Ele se deve não a uma obrigação, mas às batidas do seu coração, ao seu sentimento de satisfação, ao seu desejo de compartilhá-lo. A lealdade é uma coisa horrível. Mas por milhares de anos ela tem sido um valor muito respeitável porque a sociedade tem escravizado as pessoas de diversas maneiras. Espera-se que a esposa seja leal ao marido — a ponto de, na Índia, milhões de mulheres terem morrido com a morte do marido, atirando-se vivas à pira funerária e morrendo queimadas. Isso era tão respeitável que toda mulher que não fizesse o mesmo levava uma vida muito condenada. Ela se tornava quase um pária; era tratada apenas como uma serva na própria família. A conclusão era de que, por não morrer com o marido, ela não havia sido leal a ele.

Na verdade, vamos considerar o contrário — nem um único homem pulou na pira funerária da esposa! Ninguém levantou a questão: "Será que isso significa que nenhum marido nunca foi leal à esposa?" Mas se trata de uma sociedade de padrões duplos. Um padrão para o senhor, o proprietário, o possuidor, e outro padrão para o escravo.

O amor é uma experiência perigosa, porque você está possuído por algo que é maior do que você. E não é controlável; não se pode produzi-lo com uma ordem. Depois que ele se foi, não há como trazê-lo de volta. Tudo o que se pode fazer é fingir, ser um hipócrita.

A lealdade é uma questão totalmente diferente. Ela é fabricada pela sua própria mente, não é algo além de você. É um aprendizado dentro de uma determinada cultura, assim como qualquer outro aprendizado. Você começa atuando e, pouco a pouco, começa a acreditar na sua atuação. A lealdade exige que você seja sempre, na vida ou na morte, devotado à pessoa, quer o seu coração deseje isso quer não. É uma versão psicológica do escravismo.

O amor dá liberdade. A lealdade produz escravidão. Na superfície, ambos se parecem; no fundo, são radicalmente opostos, diametralmente opostos. A lealdade é interpretação; você foi treinado nela. O amor é espontâneo; toda a beleza do amor está na sua espontaneidade. Ele vem como uma brisa com um agradável perfume, preenche o seu coração e, de repente, onde havia um deserto existe um jardim cheio de flores. Você não sabe de onde ele vem, mas sabe que não há como produzi-lo. Ele vem por si próprio e permanece quanto tempo a vida quiser. E assim como ele veio um dia, como um estranho, como um convidado, de repente um dia ele vai embora. Não há como prendê-lo, não é possível segurá-lo.

A sociedade não pode depender de experiências tão imprevisíveis, tão duvidosas. Ela quer garantias, seguranças; daí ter eliminado o amor da vida completamente e ter colocado o casamento no seu lugar. O casamento conhece a lealdade, lealdade ao marido e, por ser formal, ela está nas suas mãos... mas ela não é nada comparada ao amor, não é nem mesmo uma gota de orvalho perto do oceano que é o amor.

Mas a sociedade está muito contente com a lealdade porque ela é confiável. O marido pode confiar em você, confiar que amanhã você também será tão leal quanto é hoje. No amor não se pode confiar — e o fenômeno mais estranho é que o amor é o máximo em matéria de confiança, e não se pode confiar nele. Num momento ele é total, mas no momento seguinte ele permanece aberto. Ele pode crescer dentro de você; ele pode evaporar de você. O marido quer uma esposa que seja uma escrava pelo resto da vida dela. Ele não pode depender do amor; ele tem de criar alguma coisa parecida com o amor, mas fabricada pela mente humana.

Não é só no relacionamento amoroso, mas em outros setores da vida, que a lealdade tem obtido um grande respeito. Mas ela destrói a inteligência... O soldado tem de ser leal à nação. O homem que jogou as bombas atômicas sobre Hiroxima e Nagasáqui... não se pode chamá-lo de responsável; ele estava simplesmente cumprindo o dever. Ele recebeu ordens e foi leal aos superiores; é esse todo o treinamento dos militares. Durante anos eles treinam você, de modo que você se torna quase incapaz de se rebelar. Até mesmo se você considerar que o que lhe está sendo pedido é absolutamente errado, ainda assim o seu treinamento foi tão profundo que você diz: "Sim, senhor, eu faço."

Eu não consigo conceber que o homem que jogou as bombas sobre Hiroxima e Nagasáqui fosse uma máquina. Ele também tinha um coração, assim como você. Ele também tinha uma esposa e filhos, uma mãe e um pai. Ele era tão humano quanto você é, com uma diferença. Ele foi treinado para obedecer ordens sem questionar e, quando a ordem foi dada, ele simplesmente a cumpriu.

Tenho pensado vezes sem conta sobre a mente desse homem. É concebível que ele não tenha pensado que aquela bomba mataria duzentas mil pessoas? Ele não poderia ter dito: "Não! Não seria melhor ser executado pelo general por não cumprir a ordem do que matar duzentas mil pessoas?" Talvez essa idéia nunca tenha ocorrido a ele.

O exército age da seguinte maneira para criar lealdade: ele começa com pequenas coisas. Imagina-se por que todo soldado durante anos tem de fazer paradas e seguir ordens idiotas — virar à esquerda, virar à direita, andar para trás, andar para a frente — durante horas, sem nenhum propósito. Existe um propósito oculto nisso tudo. A inteligência do soldado está sendo destruída. Ele está sendo convertido num autômato, num robô. Então, quando vem a ordem: "Esquerda, volver", a mente dele não pergunta por quê. Se alguém disser a você: "Esquerda, volver", você vai perguntar: "Que absurdo é esse? Por que eu deveria virar à esquerda? Vou pela direita!" Mas não se espera que o soldado duvide, discuta; ele simplesmente tem de obedecer. Esse é o condicionamento básico da lealdade.

É bom para os reis e para os generais que os militares sejam leais a ponto de funcionarem como máquinas, não como homens. É agradável para os pais que os filhos sejam leais, porque uma criança rebelde é um problema. Os pais podem estar errados e a criança pode estar certa, mas ela tem de ser obediente aos pais; isso faz parte do treinamento do antigo ser humano que existe até hoje.

Eu lhes ensino o novo ser humano no qual a lealdade não tem espaço, mas que em vez disso tem inteligência, dúvidas, a capacidade de

FALSOS VALORES

dizer não. Para mim, a menos que vocês sejam capazes de dizer não, o "sim" de vocês não significa nada. O "sim" de vocês é apenas gravado como numa fita de gravador; vocês não podem fazer nada, têm de dizer *sim* porque o *não* simplesmente não ocorre a vocês.

A vida e a civilização teriam sido totalmente diferentes se tivéssemos educado as pessoas para ter mais inteligência. Quantas guerras não teriam sido evitadas se as pessoas tivessem perguntado: "Qual é o motivo? Por que devemos matar pessoas, pessoas que são inocentes?" Mas eles são leais a um país e vocês são leais a outro país, e os políticos de ambos os países estão em luta, sacrificando o seu povo. Se os políticos gostam tanto de lutar, eles poderiam providenciar uma competição de luta e as pessoas poderiam participar, como num jogo de futebol.

Mas os reis e os políticos, os presidentes e os primeiros-ministros não vão à guerra. As pessoas simples, que não têm nada a ver com matar os outros, vão à guerra para matar e ser mortas. Elas são recompensadas pela sua lealdade — recebem a Cruz da Vitória ou outros tipos de recompensas por serem inumanas, por serem ininteligentes, por serem mecânicas.

A lealdade não é outra coisa senão a combinação de todas essas doenças — crença, dever, respeitabilidade. Elas todas estão alimentando o seu ego. Elas estão todas contra o seu crescimento espiritual, mas estão a favor dos interesses investidos. Os padres não querem que vocês façam nenhuma pergunta sobre o seu sistema de crenças porque eles sabem que não têm respostas a dar. Todos os sistemas de crenças são tão falsos que, se forem questionados, desmoronam. Não questionados, eles criam grandes religiões, com milhões de pessoas em seus rebanhos.

Hoje, o papa tem milhões de pessoas abaixo dele, e dentre esses milhões de pessoas, nenhuma delas pergunta: "Como pode uma moça virgem dar à luz uma criança?" Isso seria sacrilégio! Em milhões de pessoas, nenhuma pergunta: "Qual é a prova de que Jesus é o único Filho de Deus? — qualquer um pode reclamar isso para si. Qual a prova de que Jesus salvou as pessoas do sofrimento? — ele não conseguiu salvar a si mesmo." Mas perguntas como essas são embaraçosas e elas simplesmente não são feitas. Até mesmo Deus não passa de uma hipótese, que os religiosos vêm tentando provar por milhares de anos... todos os tipos de provas são todas falsas, sem nenhuma substância, sem sustentação na vida. Mas ninguém faz a pergunta.

Desde o primeiro dia de vida as pessoas são educadas para serem leais ao sistema de crenças em que nasceram. É conveniente para os padres explorar você; é conveniente para os políticos explorar você; é conveniente para os maridos explorar as esposas, para os pais explorar os filhos, para os professores explorar os alunos. Por todos os interesses investidos, a lealdade é simplesmente uma necessidade. Mas ela reduz todos os seres humanos a retardados. Ela não permite questionamentos. Ela não permite a dúvida. Ela não permite que as pessoas sejam inteligentes. E um homem que não é capaz de duvidar, de questionar, de dizer "Não", quando sente que a coisa está errada, está abaixo da condição humana; ele se torna um animal subumano.

Se o amor for pedido, então ele se tornará lealdade. Se o amor for dado sem ser pedido, se ele for dado livremente, então ele elevará a sua consciência. Se a confiança for pedida, você estará sendo escravizado. Mas se a confiança se manifestar em você, algo sobre-humano estará nascendo dentro do seu coração. A diferença é muito pequena, mas de enorme importância: pedidos ou ordenados, o amor e a confiança tornam-se falsos. Quando eles surgem por si próprios, têm um valor intrínseco enorme. Eles não fazem de você um escravo; eles fazem de você o dono de si mesmo porque é o seu amor, é a sua confiança. Você está obedecendo ao seu coração. Você não está obedecendo a ninguém. Você não está sendo forçado a obedecer. O seu amor é resultado da sua li-

FALSOS VALORES

berdade. A sua confiança é resultado da sua dignidade — e ambos vão fazer de você um ser humano mais pleno.

Essa é a minha idéia da nova humanidade. As pessoas vão amar, mas não vão permitir que o amor seja ordenado. Elas confiarão, mas confiarão de acordo com elas mesmas — não de acordo com nenhuma escritura, não de acordo com nenhuma estrutura social, não de acordo com nenhum padre, não de acordo com nenhum político.

Viver a sua vida de acordo com o seu próprio coração, seguir as batidas do seu coração, penetrar o desconhecido, assim como uma águia que voa sob o sol em plena liberdade, sem conhecer limites... sem ser mandado. Viver de pura alegria. Pois esse é o verdadeiro exercício da espiritualidade de cada um.

INSTRUMENTOS PARA A TRANSFORMAÇÃO

Essa é uma das verdades mais difíceis de reconhecer: que continuamos sendo os mesmos — que, não importa o que façamos, continuamos sendo a mesma pessoa. Não há "melhora". O ego como um todo é fracionado, porque ele vive através da melhora, da idéia de melhora, da idéia de chegar a algum lugar um dia. Talvez não hoje, mas amanhã, ou depois de amanhã. Não é nenhum problema reconhecer o fato de que não existe melhora no mundo, de que a vida é apenas uma celebração — depois que você entende isso, o egocentrismo recua e, de repente, você é lançado de volta ao momento atual.

ACEITE A SI MESMO

No momento em que você se aceita, você se torna aberto, torna-se vulnerável, receptivo. No momento em que você se aceita, não há necessidade de futuro nenhum, porque não há necessidade de melhorar coisa alguma. Então, tudo é bom, tudo é bom como é. No próprio exercício de viver, a vida começa a adquirir um novo colorido, surge uma nova harmonia.

Se você aceita a si mesmo, esse é começo da aceitação de tudo. Se rejeita a si mesmo, você está basicamente rejeitando o universo; se rejeita a si mesmo, você está rejeitando a vida. Se aceita a si mesmo, você aceitou a vida; então, não há mais nada a fazer além de sentir prazer, celebrar. Não há do que se queixar, não há ressentimentos; você se sente grato. Então, a vida é boa e a morte é boa; então, a alegria é boa e a tristeza é boa; então, estar com a pessoa amada é bom e estar sozinho é bom. Então, tudo o que acontece é bom, porque acontece a partir do todo.

Mas você foi condicionado, ao longo de séculos, a não aceitar a si mesmo. Todas as culturas do mundo foram envenenadas pela mente humana, porque todas elas dependem de uma coisa: melhorar a si mesmo. Todas despertaram ansiedade em você — ansiedade é o estado de tensão entre o que você é e o que deveria ser. As pessoas tendem a permanecer ansiosas se houver um "deve" na vida. Se há um ideal que tem de ser atingido, como você pode ficar relaxado? Como pode ficar em casa? É impossível viver qualquer coisa totalmente, porque a mente anseia pelo futuro. E esse futuro nunca vem — ele não pode vir. Pela própria natureza do seu desejo, é impossível — quando ele vem, você começa a imaginar outras coisas, você começa a desejar outras coisas. Você pode sempre imaginar uma situação melhor. E você pode sempre ficar na ansiedade, tenso, preocupado — é assim que a humanidade tem vivido por séculos.

Apenas raramente, de vez em quando, um homem escapa da armadilha. Esse homem é chamado de Buda, de Cristo. O homem desperto é aquele que conseguiu sair da armadilha da sociedade, que viu que essa armadilha não passa de um absurdo. Você não pode melhorar a si mesmo. E eu não estou dizendo que a melhora não aconteça; lembre-se — mas você não pode melhorar a si mesmo. Quando pára de se melhorar, a vida melhora você. Nesse relaxamento, nessa aceitação, a vida começa a cuidar de você, a vida começa a fluir através de você. E quando você não tem nenhum ressentimento, nenhuma queixa, você desabrocha, você floresce.

Portanto, eu gostaria de lhe dizer: aceite a si mesmo como você é. E essa é a coisa mais difícil do mundo, porque vai contra o seu treinamento, a sua educação, a sua cultura. Desde o início da vida lhe disseram como você deveria ser. Ninguém nunca lhe disse que você é bom assim como é; eles sempre puseram programas na sua mente. Você foi programado pelos pais, pelos padres, pelos políticos, pelos professores — você foi programado para apenas uma coisa: simplesmente continuar se aprimorando. Aonde quer que você vá, vai correndo atrás de alguma coisa. Você nunca descansa. Trabalha até a morte.

O meu ensinamento é simples: não adie a vida. Não espere pelo amanhã, pois ele nunca vem. Viva o dia de hoje!

ACEITE A SI MESMO

Jesus disse aos seus discípulos: "Olhai para os lírios do campo, como crescem; eles não trabalham, nem fiam — contudo eu vos digo que nem mesmo Salomão, em toda a sua glória, se vestiu como um deles." Qual é a beleza das humildes flores? Sua beleza está na total aceitação. Elas não têm um programa em seu ser para melhorar. Elas estão aqui e agora — dançando ao vento, tomando banho de sol, conversando com as nuvens, dormindo no calor da tarde, flertando com as borboletas... desfrutando, sendo, amando, sendo amadas.

E toda a vida começa a despejar a sua energia dentro de você quando você está aberto. Então as árvores são mais verdes do que lhe parecem ser agora; então o sol é mais brilhante do que lhe parece ser agora; então tudo torna-se psicodélico, colorido. Do contrário, tudo perde a graça, torna-se insípido, melancólico e sem brilho.

Aceite-se — essa é a oração. Aceite-se — essa é a gratidão. Relaxe internamente — é dessa maneira que Deus queria que você fosse. Ele não queria que você fosse de outro jeito; do contrário, teria feito você diferente. Ele fez você como *você* e como ninguém mais. Tentar se aprimorar é basicamente tentar aprimorar a Deus — o que é uma idiotice, e você vai ficar cada vez mais louco nessa tentativa. Não vai chegar a lugar nenhum; simplesmente terá perdido uma grande oportunidade.

Deixe que essa seja a sua cor — a aceitação. Deixe que essa seja a sua característica — a aceitação, a completa aceitação. E então você ficará surpreso: a vida está sempre pronta a derramar as suas bênçãos sobre você. A vida não é sovina; a vida sempre dá em abundância — mas não podemos receber essa abundância porque não sentimos que merecemos recebê-la.

É por isso que as pessoas se apegam às desgraças — elas se acomodam à sua programação. As pessoas continuam se punindo de mil e uma maneiras sutis. Por quê? Porque isso se encaixa no seu programa. Se você não é como deveria ser, terá de se punir, terá de criar sofrimentos para si mesmo. É por isso que as pessoas se sentem bem quando são sofredoras.

Deixe-me dizer uma coisa: as pessoas ficam contentes quando são sofredoras; elas se tornam muito, mas muito inquietas quando estão felizes. Isso foi o que observei em milhares e milhares de pessoas: quando elas são infelizes, tudo está como deveria ser. Elas aceitam a situação — essa situação de infelicidade se enquadra no condicionamento, na mente delas. Elas sabem o quanto são horríveis, elas sabem que são pecadoras.

Disseram-lhe que você nasceu no pecado. Que estupidez! Que absurdo! O homem não nasce no pecado, mas na inocência. Nunca houve nenhum pecado original, a única coisa que houve foi a inocência original. Toda criança nasce na inocência. Nós fazemos com que se sinta culpada — começamos a dizer: "Assim não pode ser. Você deve ser deste modo." E a criança é natural e inocente. Nós a castigamos por ser natural e inocente e a recompensamos por ser artificial e esperta. Nós a recompensamos por ser falsa — todas as nossas recompensas são para as pessoas falsas. Se alguém é inocente, não lhe damos nenhuma recompensa; não temos nenhuma consideração para com essa pessoa, não temos nenhum respeito por ela. O inocente é condenado, o inocente é considerado quase como um sinônimo de criminoso. O inocente é considerado tolo, o esperto é considerado inteligente. O falso é aceito — o falso se encaixa na sociedade falsa.

Então, toda a sua vida não passa de um esforço para criar cada vez mais punições para si mesmo. E tudo o que você faz é errado; então você tem de se punir por todas as alegrias. Até mesmo quando a alegria vem — a despeito de você mesmo, lembre-se, quando a alegria vem a despeito de você, quando às vezes Deus simplesmente se choca contra você e você não pode evitá-lo — imediatamente você começa a se punir. Algo deu errado — como isso pôde acontecer a uma pessoa horrível como você?

Na noite passada, um homem me perguntou: "Osho, o senhor fala sobre o amor, o senhor fala de dar o seu amor. Mas o que eu tenho

ACEITE A SI MESMO

para dar a todo mundo?" Ele quis saber: "O que eu tenho para oferecer à minha amada?"

Essa é a idéia secreta de todo mundo: "Eu não tenho nada." O que você não tem? Ninguém lhe disse que você tem todas as belezas de todas as flores — porque o homem é a mais bela flor desta terra, o ser mais evoluído. Nenhum pássaro pode cantar a canção que você é capaz de cantar — o canto dos pássaros não passa de ruídos, embora ainda assim seja lindo porque vem da inocência. Você pode cantar canções muito melhores, de maior importância, com muito mais significados. Mas você pergunta: "O que eu tenho?"

As árvores são verdes, belas; as estrelas são belas e os rios são belos — mas você já viu algo mais belo do que o rosto humano? Você já se deparou com algo mais belo do que os olhos humanos? Em toda a terra, não existe nada mais delicado que os olhos humanos — nenhuma rosa pode competir com eles, nenhum lótus pode competir. E que profundidade! Mas você quer saber: "O que eu tenho para oferecer no amor?" Você deve ter vivido uma vida de condenação de si mesmo; você deve ter-se depreciado, sobrecarregando-se de culpas.

Na verdade, quando alguém o ama, você fica um tanto surpreso. "Quem... eu? Uma pessoa me ama?" A idéia surge na sua mente: "É porque ela não me conhece. É isso. Se vier a me conhecer, se me observar melhor, ela nunca me amará." E assim os amantes começam a se esconder uns dos outros. Eles guardam muitos segredos, não abrem os seus segredos porque têm medo de que, no momento em que abrirem o coração, o amor irá desaparecer — porque não conseguem se amar, como podem imaginar que alguém os ama?

O amor começa com o amor por si mesmo. Não seja egoísta, mas satisfeito consigo mesmo — e essas são duas coisas diferentes. Não seja um Narciso, não seja obcecado por si mesmo — mas o amor por si mesmo é um dever, um fenômeno básico. Apenas quando parte desse pressuposto é que você pode amar alguém.

Aceite a si mesmo, ame a si mesmo; você é uma criação de Deus. A assinatura de Deus está em você e você é especial, único. Ninguém mais nunca foi como você e ninguém mais jamais será como você — você é simplesmente único, incomparável. Aceite isso, ame isso, celebre isso — e na própria celebração você vai começar a ver a singularidade dos outros, a incomparável beleza dos outros. O amor só é possível quando existe uma profunda aceitação de si mesmo, do outro, do mundo. A aceitação cria um ambiente em que o amor prospera, o solo em que o amor viceja.

SEJA VULNERÁVEL

~~~

Lao-tsé diz:
O homem, quando nasce, é delicado e fraco; ao morrer, ele está duro e rijo. Quando as coisas e as plantas estão vivas, elas são macias e flexíveis; quando estão mortas, estão secas e quebradiças. Portanto, a rigidez e a inflexibilidade são companheiras da morte, e a maciez e a maleabilidade são companheiras da vida.

Portanto, quando um exército é obstinado, ele perde a batalha. Quando uma árvore é dura, ela será cortada. O grande e forte pertence à parte inferior. O suave e fraco pertence à parte superior.

A vida é como um rio, um fluxo, uma sucessão contínua, sem começo nem fim. Ela não vai a parte alguma, está sempre aqui. Não vai de algum lugar a algum outro lugar; ela está sempre vindo daqui para aqui. O único momento para a vida é agora, e o único lugar é aqui. Não há esforço a fazer, não há nada a fazer. Não há luta a vencer, não há nada a vencer. Não existe produção a proteger, porque não existe nada de que ser protegido. Apenas a vida existe, só, absolutamente só, bela na sua solidão, majestosa na sua solidão.

Você pode viver a vida de duas maneiras: pode fluir com ela — então você também será majestoso, terá graça, a graça da não-violência, do não-conflito, da não-luta. Então você terá uma beleza, como a das crianças, das flores, macia, delicada, não-corrompida. Ao fluir com a vida, você se torna religioso. É isso que a religião significa para Lao-tsé, ou para mim.

Comumente, religião significa uma luta contra a vida, por Deus. Comumente, ela significa que Deus é a meta e a vida tem de ser negada e enfrentada. A vida tem de ser sacrificada e Deus tem de ser alcançado. Essa religião comum não é religião. Essa religião comum é só uma parte da mente comum, violenta, agressiva.

Não existe Deus além da vida; a vida é Deus. Se você negar a vida, estará negando Deus; se sacrificar a vida, estará sacrificando Deus. Em todos os sacrifícios, apenas Deus é sacrificado. George Gurdjieff costumava dizer — parece paradoxal, mas é verdade — que todas as religiões são contra Deus. Se a vida é Deus, então negar, renunciar, sacrificar é ir contra Deus. Mas parece que Gurdjieff não sabia muito a respeito de Lao-tsé. Ou até mesmo, se soubesse sobre Lao-tsé, ele teria dito a mesma coisa, porque Lao-tsé não parece ser comumente religioso. Ele é mais como um poeta, um músico, um artista, um criador, do que um teólogo, um sacerdote, um pregador, um filósofo. Ele é tão comum que se pode pensar que ele não é religioso. Mas, na verdade, ser religioso é ser tão extraordinariamente comum na vida que a parte não está contra o todo, mas a parte está fluindo com o todo. Ser religioso é não estar fora do fluxo.

Ser irreligioso é manter a própria mente num esforço de vencer, de conquistar, de chegar a algum lugar. Se você tem uma meta, então é irreligioso. Se está pensando no amanhã, já perdeu a religião. A religião não tem amanhã. É por isso que Jesus diz: "Não pensai no amanhã. Olhai para os lírios no campo, como crescem." Tudo o que é, é agora. Tudo o que está vivo, está vivo agora. Agora é o único tempo, a única eternidade.

SEJA VULNERÁVEL

Existem duas possibilidades. Você pode lutar contra a vida, você pode ter as suas metas pessoais contra a vida — e todas as metas são pessoais, todas as metas são particulares. Você está tentando impor um padrão à vida, algo de seu. Está tentando forçar a vida a segui-lo, e você é apenas uma parte minúscula, infinitesimal, tão pequena, e tentando arrastar o universo inteiro consigo. É claro que você acabará sendo derrotado. Você acabará perdendo a graça, tornando-se duro.

Lutar produz dureza. É só pensar em lutar e uma sutil dureza toma conta de você. É só pensar em resistir e uma crosta se ergue ao seu redor, envolvendo-o como um casulo. A própria idéia de que você tem uma determinada meta faz de você uma ilha; você já não faz parte do grande continente da vida. E quando está separado da vida, você é como uma árvore que está separada da terra. Ela pode viver um pouco mais com os nutrientes do passado, mas na verdade está morrendo. A árvore precisa de raízes; a árvore precisa estar na terra, ligada a ela, sendo parte dela.

Você precisa permanecer unido ao continente da vida, ser parte dele, estar enraizado nele. Quando enraizado na vida, você é maleável, porque não está com medo. O medo cria a dureza. O medo cria a idéia de segurança. O medo cria a idéia de se proteger. E nada mata como o medo, porque na própria idéia do medo você está separado da terra, desenraizado.

Então você vive no passado — é por isso que você pensa tanto no passado. Não é coincidência. A mente pensa continuamente no passado ou no futuro. Por que pensar tanto no passado? O que passou, passou! Não pode ser recuperado. O passado está morto! Por que você continua pensando no passado, que não existe mais e sobre o qual nada pode ser feito? Você não pode vivê-lo, não pode estar nele, mas ele pode destruir o seu momento presente. No entanto, deve haver alguma causa profundamente enraizada para isso. A causa profundamente enraizada é que você está lutando contra o todo. Lutando contra o todo, lutando contra o rio da vida, você está desenraizado. Você se tornou minúsculo, um fenômeno como que encapsulado, fechado em si mesmo. Você se tornou um indivíduo, você não faz mais parte do universo em expansão, da vastidão. Não, você não faz mais parte dele. Você tem de viver, como um avarento, do seu alimento do passado; é por isso a mente continua a pensar no passado.

E você tem de se concentrar de alguma forma para estar pronto para lutar; é por isso que continua a pensar no futuro. O futuro lhe dá esperança, o passado lhe dá alimento, e exatamente entre os dois encontra-se a eternidade, a verdadeira vida, que você está perdendo. Entre o passado e o futuro, você está morrendo, não vivendo.

Existe outra maneira de ser — na verdade, a única maneira de ser, porque essa maneira não é a maneira de ser; a maneira de lutar não é a maneira de ser. A outra maneira é fluir com o rio, fluir tão unido a ele que você não sente que está separado e fluindo com ele. Não, você se torna parte dele — não apenas parte; você está mergulhado nele; você se torna o rio, não existe separação. Quando não está lutando, você se torna a vida. Quando não está lutando, você se torna a vastidão, o infinito. Quando não está lutando, o seu estado é aquele que no Oriente é conhecido como o de renúncia, rendição, confiança — o que chamamos de *shraddha,* confiar na vida. Não confiar na sua mente individual, mas confiar no todo. Não confiar na parte, mas no todo; não confiar na mente, mas confiar na existência. Ao se render, de repente você se torna maleável, porque então não há necessidade de ser duro. Você não está lutando, não existe um inimigo. Não há necessidade de proteção, não há o desejo de segurança; você já está fundido com a vida.

E a vida *é* segura! Apenas os egos individuais são inseguros; eles precisam de proteção, precisam de segurança; eles precisam de uma armadura ao seu redor. Eles têm medo, estão sempre trêmulos — então, como você pode viver? Você vive numa angústia e numa ansiedade, você não vive. Você perde todo o prazer, toda a alegria de estar aqui — e essa é toda a alegria. Ela não tem causa própria; ela simplesmente surge porque você existe. Ela simplesmente brota dentro de você só porque você existe. Depois de se abrir, para fluir com a vida, você está efervescendo de alegria o tempo todo, sem nenhum motivo! Você simplesmente começa a sentir que *existir* é ser feliz.

É por isso que os hindus chamaram a felicidade de *satchitananda* — verdade, consciência, alegria. Isso significa que *existir* é ser feliz, ser verdadeiro é ser feliz. Não existe outra maneira de ser. Se você é infeliz, isso só demonstra que você perdeu o contato com o ser. Ser infeliz significa que, de algum modo, você está desenraizado da terra; você ficou separado do rio, você virou um bloco congelado, um cubo de gelo, flutuando no rio mas não *com* ele. Lutando, mesmo tentando ir contra a corrente — o ego sempre quer ir contra a corrente, porque sempre que existe um desafio o ego se sente bem. O ego está sempre em busca de luta. Se você não conseguir encontrar ninguém para lutar, você vai se sentir infeliz. É preciso alguém com quem lutar. Na luta você se sente bem, você *existe*. Mas essa é uma maneira patológica de existir, uma maneira neurótica de existir. A neurose é lutar contra o rio. Se você luta, você se torna duro. Se você luta, você se envolve por uma parede morta. É claro que o seu próprio ser está morto. Você perde a flexibilidade, a lucidez, a graça, a delicadeza. Então você está apenas se arrastando, não vivendo.

Lao-tsé é a favor da rendição. Ele diz: "Renda-se à vida. Deixe que a vida o conduza, não tente conduzir a vida. Não tente manipular e controlar a vida; deixe que a vida manipule e controle você. Deixe que a vida possua você. Você simplesmente se rende, simplesmente diz: 'Eu não existo.' Dê poder total à vida, e esteja com ela."

É difícil, porque o ego diz: "Então, o que eu sou? Rendido, não existo mais." Mas quando o ego deixa de existir, na verdade, pela primeira vez, *você existe*. Pela primeira vez, você não é finito, você é infinito. Pela primeira vez, você não é o corpo, o incorporado; você é o desincorporado, o grande, o que continua a se expandir — sem começo e sem fim.

Mas o ego não sabe disso. O ego tem medo. Ele diz: "O que você está fazendo, se perdendo? Então você estará perdido, você será ninguém." Se você der ouvidos ao ego, ele vai colocá-lo continuamente num caminho neurótico, o caminho de ser "alguém". E quanto mais você se torna alguém, mais a vida desaparece de você. Observe as pessoas que foram bem-sucedidas no mundo, que se tornaram alguém, cujos nomes figuram no *Quem É Quem*. Olhe para elas, observe-as: você vai descobrir que elas têm uma vida falsa. Elas são apenas máscaras, não têm nada por dentro — são homens e mulheres ocos, recheados talvez, mas não vivos. Vazios.

Observe as pessoas que foram bem-sucedidas no mundo, que se tornaram alguém — presidentes, primeiros-ministros, os muito ricos, que conseguiram tudo o que pode ser conseguido no mundo. Observe-os, toque-os, olhe para eles: você vai sentir a morte. Você não vai encontrar um coração pulsando neles. Talvez o coração ainda bata, mas o seu batimento é mecânico. O batimento perdeu a poesia. Eles olham para você, mas os olhos deles são insensíveis; o brilho de estar vivo não existe neles. Eles vão apertar-lhe a mão, mas na mão deles você não vai sentir nada fluindo, você não vai sentir nenhuma troca de energia, não vai sentir um calor recebendo você. Uma mão morta — nela você pode sentir peso, mas não amor. Olhe ao redor deles; eles vivem no inferno. Eles foram bem-sucedidos, eles se tornaram alguém e agora apenas o inferno os cerca. Você estará no mesmo caminho se estiver tentando ser alguém.

Lao-tsé diz: Seja ninguém, e então você terá a vida infinita fluindo dentro de você. Para o fluxo da vida, ser alguém torna-se um bloqueio. Ser ninguém, ser um imenso vazio, permite tudo. As nuvens podem passar, as estrelas podem girar nesse vazio. E nada perturba esse vazio. E você não tem nada a perder, porque a tudo o que poderia ser perdido você já renunciou.

Nesse estado de ser, sempre somos jovens. O corpo, é claro, vai envelhecer, mas o cerne interior do seu ser permanece jovem, novo. Ele nunca envelhece, nunca morre. E Lao-tsé diz que esse é o caminho para ser realmente religioso. Flutuar com o Tao, seguir com o Tao, não criar nenhuma meta e nenhum fim particular. O todo sabe mais; simplesmente esteja com ele. O todo criou você, o todo respira dentro de você, o todo vive em você. Por que se incomodar? Deixe que a responsabilidade fique com o todo. Simplesmente vá aonde ele o levar. Não tente forçar e planejar, e não fale de nenhuma meta, porque então haverá frustração e você vai endurecer, você vai perder a oportunidade de estar vivo.

E essa é a questão — se você aprova a vida, mais vida acontecerá. Então, se você aprovar a si mesmo, mais vida vai acontecer. Jesus continua dizendo: "Vinde a mim, e eu lhes mostrarei o caminho da vida infinita, da vida em abundância. A vida é transbordante, afluente." Mas vivemos como mendigos. Poderíamos viver como imperadores, ninguém mais é responsável. A sua esperteza de ser você mesmo, de prender-se ao ego, é toda a causa do seu infortúnio.

Agora, os sutras:

O homem, quando nasce, é delicado e fraco.

Observe um bebê recém-nascido. Ele não tem nenhuma crosta ao seu redor — é vulnerável, aberto, maleável: a vida na sua pureza. Não será por muito tempo; logo as personalidades começarão a se acumular ao redor dele; ele será enjaulado, aprisionado pela sociedade, pelos pais, pelas escolas, pelas universidades; logo a vida se tornará um fenômeno distante. Ele se parecerá mais com um prisioneiro. A vida vai continuar batendo em algum lugar dentro dele, mas até mesmo ele não será capaz de ouvir essas batidas.

Mas observe uma criança recém-nascida. Inúmeras vezes o milagre acontece. Inúmeras vezes a vida continua mostrando-lhe o caminho, como ser. Inúmeras vezes a vida continua dizendo que ela se renova a cada dia. Os idosos morrem, os bebês nascem. Qual é a importância disso? É muito claro que a vida não acredita na velhice. Na verdade, se a vida fosse controlada por economistas, este mundo pareceria verdadeiramente não-econômico, um desperdício. Um homem idoso, educado, experiente na maneira de viver no mundo — então, quando ele está pronto, quando pensa que se tornou sábio, a morte aparece e substitui o idoso por um bebezinho sem nenhum conhecimento, sem nenhuma sabedoria, absolutamente novo, uma *tabula rasa;* é preciso escrever tudo de novo. Se você perguntar aos economistas, eles dirão que isso é tolice! Deus deveria consultar os economistas primeiro. O que ele está fazendo? É um desperdício, puro desperdício! Um homem preparado de oitenta anos morre e um bebê sem preparo nenhum é colocado no seu lugar — isso deveria acontecer de maneira contrária; então seria mais econômico.

Mas a vida não acredita em economia. E é bom que não acredite, ou então o mundo inteiro teria se tornado um grande cemitério. Ela acredita na vida, não em economia. Ela continua substituindo as pessoas velhas pelas novas, pessoas mortas por jovens, pessoas endurecidas por maleáveis. A indicação é clara: a vida adora a maleabilidade, porque por meio de um ser maleável a vida pode fluir com facilidade.

O homem, quando nasce, é delicado e fraco.

E Lao-tsé insiste no segundo ponto também; que a vida não acredita na força. A fraqueza tem uma beleza em si, porque é delicada e maleável. Uma tempestade vem, grandes árvores fortes caem. As plantinhas simplesmente se inclinam e, depois que a tempestade passa, elas voltam a sorrir e a florescer. Na verdade, a tempestade apenas as renovou, tirou-lhes a poeira, só isso. Elas estão mais vivas, mais jovens, mais novas, e a tempestade lhes deu um bom banho. E as árvores velhas, muito fortes, caíram porque ofereceram resistência. Elas não se inclinariam, por serem muito egoístas.

Lao-tsé diz: "A vida adora os fracos." E esse é o significado do aforismo de Jesus: "Bem-aventurados os fracos, porque eles herdarão a terra. Bem-aventurados os pobres, os pobres em espírito. Bem-aventurados os que choram, porque serão consolados." O cristianismo continua esquecendo-se do significado dos aforismos de Jesus, porque esses aforismos são de Lao-tsé. A menos que eles sejam relacionados a Lao-tsé, não podem ser interpretados corretamente. Todo o ensinamento de Jesus é: "Sejam vivos e fracos." É por isso que ele diz: se alguém lhe bater numa face, dê-lhe a outra face também. Se alguém pegar o seu paletó, dê-lhe também a camisa. E se alguém forçar você a caminhar por um quilômetro, caminhe por dois quilômetros. Ele está dizendo: "Sejam fracos. Abençoados são os mansos."

O que existe na fraqueza para ser abençoado? Porque comumente os assim chamados líderes mundiais, os mentores mundiais continuam dizendo: "Sejam fortes." E tanto Lao-tsé quanto Jesus dizem: "Sejam fracos." A fraqueza tem algo em si — porque ela não é dura. Para ser forte, é preciso ser duro. Para ser duro, é preciso ir contra a vida. Se você quiser ser forte, terá de lutar contra a corrente, e só então se tornará forte. Não há outra maneira de se tornar forte. Se você quiser se tornar forte, vá contra a corrente. Quanto mais o rio faz força contra você, mais forte você se torna. Para ser fraco, corra com o rio; aonde ele for, vá com ele. Se o rio disser: "Venha comigo por um quilômetro", vá por dois quilômetros. Se o rio pedir o seu paletó, dê-lhe a camisa também. E se o rio lhe bater numa face, ofereça-lhe a outra.

A fraqueza tem em si uma certa beleza. A beleza está na graça. A beleza está na não-violência, *ahimsa*. Essa beleza está no amor, no perdão. A beleza está na ausência de conflito. E, a menos que Lao-tsé seja bem compreendido, e a humanidade comece a sentir por Lao-tsé, a humanidade não poderá viver em paz.

Se você for ensinado a ser forte, estará inclinado a lutar, as guerras vão continuar. Todos os líderes políticos do mundo continuam dizendo que amam a paz, e todos eles se preparam para a guerra. Eles dizem que estão do lado da paz e todos continuam a acumular armamentos. Eles falam de paz e se preparam para a guerra, e todos eles dizem que têm de se preparar para a guerra porque têm medo dos outros. E os outros dizem a mesma coisa! Tudo isso parece uma tolice, uma estupidez. A China tem medo da Índia, a Índia tem medo da China. Por que vocês não conseguem ver o problema? A Rússia tem medo dos Estados Unidos, os Estados Unidos têm medo da Rússia. Ambos conversam sobre a paz e ambos continuam se preparando para a guerra. E, é claro, aquilo para o que você se prepara acontece.

As conferências de paz parecem tolice. As conferências de paz não passam de guerra fria. Na verdade, os políticos precisam de tempo para se preparar — nesse período, eles conversam sobre paz, de modo que possam ter tempo suficiente para se preparar. Durante séculos a humanidade viveu em apenas dois períodos: a guerra, o período de guerra, e o período de preparação para a guerra. Existem apenas esses dois períodos. A história inteira parece completamente neurótica.

Mas isso é assim porque louva-se a força, louva-se o ego. Se duas pessoas estão brigando na rua, uma é forte, a outra é fraca — a mais fraca caiu e a mais forte está sentada sobre o seu peito — quem você valoriza? Você valoriza a que se tornou a vencedora? Então você é violento, então você é pela guerra. Então você é um fomentador da guerra; então você é muito perigoso e neurótico. Ou você valoriza aquele que é fraco? Mas ninguém valoriza o fraco; ninguém quer estar associado aos fracos porque, no fundo, todos vocês também querem ser como o forte.

SEJA VULNERÁVEL

Quando você valoriza o forte, você diz: "Sim, esse é o meu ideal. Eu também gostaria de ser como ele." Se a força é louvada, então a violência é louvada. Se a força é louvada, então a morte é louvada, porque toda força mata — mata os outros e mata você também. A força tanto é assassina quanto suicida.

A fraqueza, a própria palavra parecer ser condenável. Mas o que é a fraqueza? Uma flor é fraca. Uma rocha ao lado de uma flor é muito forte. Você gostaria de ser como uma rocha, ou você gostaria de ser como uma flor? A flor é fraca, lembre-se, muito fraca — basta um ventinho e lá se foi a flor. As pétalas caem sobre a terra. Uma flor é um milagre; é um milagre que a flor exista. Tão fraca, tão delicada! Parece ser impossível — como é possível? As rochas parecem estar bem; elas existem, elas têm o seu cálculo para existir. Mas e a flor? Ela parece ser completamente desprotegida — mas ainda assim a flor existe; esse é o milagre.

Você gostaria de ser como a flor? Se você perguntar, no fundo, o seu ego dirá: "Seja como a rocha." E mesmo que você insista, porque a rocha parece feia, então o ego dirá: "Mesmo que você queira ser uma flor, seja uma flor de plástico. Seja ao menos forte! Os ventos não vão molestar você, as chuvas não vão destruí-lo, e você poderá durar para sempre." Uma flor de verdade surge de manhã, ri por um momento, espalha o seu perfume e acabou. Uma flor que não é de verdade, uma flor de plástico, pode durar para sempre. Mas ela não é de verdade, e ela é forte porque não é de verdade. A realidade é delicada e fraca. E quanto mais elevada for a realidade, mais delicada.

Você não consegue entender Deus porque a sua mente entende a lógica das rochas. Você não entende a lógica da flor. Sua mente pode entender a matemática. Você não tem esse senso estético para sentir pelas flores. Só uma mente poética pode entender a possibilidade de Deus, porque Deus é o mais fraco e o mais delicado. É por isso que ele é o mais elevado, é a flor ao extremo. Ele floresce, mas floresce apenas numa fração de segundo. Essa fração de segundo é conhecida como "o presente". Se você perder esse momento — e é um momento tão pequeno que você precisa estar muito intensamente atento; só então você poderá vê-lo; do contrário irá perdê-lo. Ele está sempre florescendo — a cada momento ele floresce, mas você não vê, a sua mente está obstruída pelo passado e pelo futuro. E o presente é um fenômeno muito escasso; basta um piscar de olhos e ele se foi. Nesse momento escasso Deus floresce.

Ele é o mais elevado, o supremo. Mas muito fraco, muito delicado — ele tem de ser. Ele é o pináculo, a última elevação além da qual nada mais existe. Você só será capaz de entender Deus quando entender a lógica da delicadeza e da fraqueza. Se estiver tentando ser forte — conquistador, lutador, guerreiro — então você viverá num mundo cercado por rochas, não por flores, e Deus será um fenômeno muito distante. Você não será capaz de detectá-lo em nenhum lugar na vida.

O homem, quando nasce, é delicado e fraco; ao morrer, ele está duro e rijo.

Portanto, essa deverá se tornar a sua vida: continue delicado, maleável e fraco; não tente ser duro e rijo porque seria como atrair a própria morte cada vez mais. A morte virá um dia, essa não é a questão. A morte não é o que se deve temer, a morte não é o problema. Mas se você está vivo numa personalidade que parece morta, esse é o problema. A morte em si é muito delicada, mais delicada do que a vida, muito suave. Você pode ouvir os sons da vida, mas não pode ouvir os sons da morte. Quando a morte vem, ela é tão delicada que você não pode saber nem um segundo antes que ela está vindo. E ela é tão fraca, tão suave — essa morte não é o problema. A morte que você está vivendo agora mesmo, esse é o problema. A morte antes da morte é o problema; viver uma vida morta, esse é o problema. Dura, fechada. Leibniz tinha um termo para defini-la; ele a chamou de *mônada*. Mônada significa fechado nessa prisão, nessa cápsula, na qual não há janelas para olhar para fora, ou do lado de fora para olhar para dentro. Uma mônada é uma célula sem janela, absolutamente fechada. A palavra *mônada* deriva da mesma raiz de monopólio, mosteiro, monge, monogamia; ela significa estar totalmente sozinho. Um monge é aquele que vive só, um mosteiro é o lugar onde as pessoas vivem sós. Quando você está completamente fechado, numa célula morta, você está num mosteiro. Você vive numa caverna sua; você não pode chegar aos outros, os outros não podem chegar a você. Você está completamente fechado.

Essa é a morte que é rija. E então você está infeliz, e então você tenta encontrar maneiras e meios de não ser infeliz. Você continua produzindo sofrimento por ser rijo, duro, e então continua buscando métodos para não ser um sofredor. Na verdade, se você entender o fenômeno de como se tornou um sofredor, poderá abandoná-lo imediatamente. Basta ser delicado, maleável.

Seja como uma criança e mantenha sempre a pureza e a delicadeza da infância. Não perca o contato com ela, e ficará surpreso um dia quando descobrir que a criança que você foi cinqüenta anos atrás ainda está viva dentro de você. Se você souber como entrar em contato com ela, de repente outra vez você será uma criança.

A criança nunca está perdida, porque essa é a sua vida, ela continua ali. A criança não morre, e então você se torna um jovem; e depois a juventude morre e você fica velho. Isso não acontece. As camadas se acumulam umas sobre as outras, mas o cerne mais interior permanece o mesmo — o bebê que você foi quando nasceu ainda está dentro de você; muitas camadas se acumularam ao redor dele e, se você penetrar nessas camadas, de repente a criança explodirá em você. Essa explosão eu tenho chamado de êxtase.

Jesus diz: "Se não vos converterdes e não vos fizerdes como crianças, de modo algum entrareis no reino dos céus." Isso foi o que ele quis dizer e é sobre isso que estou falando agora. Se você romper a sua concha dura, as paredes ao seu redor, as muitas camadas, de repente a criança explodirá dentro de você. De novo você vai olhar para o mundo com aqueles olhos inocentes de criança. Então ali estará Deus.

Deus não é um conceito muito filosófico; ele é esse mundo visto através dos olhos de uma criança. O mesmo mundo — estas flores, estas árvores, este céu e você —, o mesmo mundo de repente adquire uma nova característica de ser divino quando você olha para ele pelos olhos de uma criança. Basta ter um coração puro, delicado, suave. Deus não está faltando, *você* está faltando. Deus não está ausente, *você* está ausente.

O homem, quando nasce, é delicado e fraco; ao morrer, ele está duro e rijo. Quando as coisas e as plantas estão vivas, elas são macias e flexíveis; quando estão mortas, estão secas e quebradiças.

Aprenda. A vida ensina de muitas maneiras. A vida indica o caminho que deveria ser seguido.

Portanto, a rigidez e a inflexibilidade são companheiras da morte, enquanto a maciez e a maleabilidade são companheiras da vida.

Se você quiser ser mais vivo, abundantemente vivo, então busque companheiros para a vida: busque gentileza, delicadeza.

Tudo o que confunde endurece você. Viva de tal maneira que a cada momento você fique livre do momento anterior. A sua situação agora mesmo é assim: você tem uma grande casa com muitos aposentos e em todos eles existem quebra-cabeças. A casa inteira está cheia de quebra-cabeças, sobre as mesas, as cadeiras, as camas, o chão, pendurados no teto — por toda parte quebra-cabeças, e você não foi capaz de resolver nenhum. Você tenta resolver um e, achando que isso é difícil, passa para outro quebra-cabeça. Mas o primeiro está pendurado na sua cabeça; não só isso, algumas partes dele você leva consigo para tentar resolver mais tarde. Então você tenta resolver outro quebra-cabeça, mas não o resolve porque você está confuso. Então você passa a outro aposento e, dessa maneira, vai de um em um, em círculos.

SEJA VULNERÁVEL

Você está confuso com quebra-cabeças não-resolvidos, e pouco a pouco está completamente neurótico. Nem uma única questão da vida foi resolvida e milhares de quebra-cabeças estão pendurados ao seu redor. Eles cumprem o papel deles. Eles matam você.

Nunca carregue coisas do passado — o passado se foi. A todo momento fuja dele, resolvido ou não-resolvido. Hoje, nada pode ser feito quanto a ele, deixe-o — e não carregue partes dele, porque essas partes não vão permitir que você resolva novos problemas que está vivendo no momento presente. Viva o momento o mais totalmente que puder, e de repente vai perceber que, se você o viver totalmente, ele se resolverá. Não há necessidade de resolvê-lo. A vida não é um problema a ser resolvido; é um mistério a ser vivido. Se você a viver na totalidade, ela será resolvida e você sairá dela bonito, enriquecido, com novos tesouros do seu ser aberto e nada pendente ao seu redor. Então você passará a outro momento com esse vigor, com essa totalidade, com essa intensidade, de modo que outro momento seja vivido e resolvido.

Jamais continue acumulando momentos não-vividos; do contrário você vai se endurecer. Você só permanecerá maleável se não carregar nada do passado. Por que as crianças são maleáveis? Elas não carregam nada. O comportamento delas é o comportamento do sábio. Se uma criança está com raiva, ela está com raiva; nesse momento ela não se importa com o que Buda fala sobre a raiva. Ela não se importa com o que Mahavira ensinou sobre a raiva ("Não sinta raiva"). Ela fica realmente com raiva! Ela fica com uma raiva tão intensa que a própria intensidade se torna linda. Observe uma criança quando ela está realmente com raiva, o corpo inteiro — aquele corpinho, tão delicado, tão suave — sacudido por tanta raiva, os olhos vermelhos, o rosto corado, pulando, gritando, como se ela fosse destruir o mundo inteiro. Uma explosão de energia... E no momento seguinte a raiva se foi e ela está brincando. Observe então o rosto dela — você não consegue acreditar que aquele rosto estivesse com raiva um momento antes. Toda sorrisos! Tão bela, tão feliz!

Essa é a maneira de viver. Num momento viva o momento, mas viva-o tão completamente que nada seja deixado para o momento seguinte. A criança vive o momento de raiva, e depois segue em frente. Quando for possível melhorar a educação no mundo, não ensinaremos as crianças a não sentir raiva. Vamos ensiná-las a ficar com raiva, mas totalmente com raiva, e não carregar a raiva. A raiva em si não é má — carregá-la, acumulá-la é que é perigoso. Rompantes de raiva são bons; na verdade, são necessários; eles dão o tom da vida. Eles são o sal da vida. Do contrário, você vai se sentir mais flácido; você não vai ter um tom. Este é um bom exercício em si mesmo e, se é possível entrar nesse estado e sair dele totalmente, sem arranhões, nada há de errado com ele.

E uma pessoa que pode ficar totalmente com raiva pode ficar totalmente feliz, pode ser totalmente amável, porque isso não é uma questão de você estar com raiva, feliz ou amável. A única coisa que você aprende com todas as experiências é ser total. Se não o deixam ficar com raiva, você fica incompleto. Você vive o momento parcialmente; as outras partes ficam presas na mente. Então você sorri, mas o seu sorriso não é puro; é corrompido, porque aquela raiva está presa a ele. Os seus lábios estão sorrindo, mas eles são venenosos; a raiva não saiu, o passado não se foi; você não está completamente livre para estar aqui e agora. O passado projetou uma sombra em você. E isso continua sempre. Você fica confuso. Toda a vida se torna uma ressaca. Então você não consegue viver nada, você não consegue amar, não consegue orar, não consegue meditar.

As pessoas me procuram e dizem: "Quando meditamos, de repente, milhões de pensamentos vão surgindo. Comumente, esses pensamentos não aparecem, mas quando meditamos eles aparecem." Por que isso acontece? São as vivências incompletas — quando medita, você está desocupado, e os pensamentos todos saltam sobre você: "Você está desocupado, pelo menos nos resolva, conclua-nos, satisfaça-nos. Você não está fazendo nada — a meditação é não fazer nada, apenas sentar-se ali. Faça alguma coisa! Esta raiva está aqui, resolva-a. Este amor está aqui, resolva-o. Este desejo está aqui, faça alguma coisa!"

Quando você está ocupado, você está tão ocupado que essas coisas todas o envolvem mas nunca se tornam o foco da sua atenção. Mas quando você está meditando, elas todas tentam atrair a sua atenção — "Estamos incompletas!" Elas são fantasmas do seu passado.

Viva cada momento totalmente. E viva com consciência, de modo a não carregar o passado consigo. Isso é fácil; basta um pouco de atenção — nada mais é preciso. Não viva dormindo, como um robô; seja um pouco mais consciente, e você vai ser capaz de ver. E então você vai se tornar delicado como uma criança, flexível como uma planta jovem, brotando. E essa característica pode ser carregada até o momento da sua morte; você permanece flexível. Se você permanecer flexível, jovem, novo, a morte acontecerá mas não com *você*. Porque você leva a vida em você, a morte não pode acontecer. Apenas as pessoas que já estão mortas morrem. As pessoas que permaneceram vivas... elas observam a morte acontecer — o corpo morre, a mente morre, mas elas não. Elas permanecem fora dela, transcendentais.

Portanto, quando um exército é obstinado, ele perde a batalha.

Lao-tsé parece ilógico. Ele diz que, quando um exército é obstinado, ele perde a batalha, e você acha que sempre que for obstinado vencerá.

Quando uma árvore é dura, ela será cortada. O grande e forte pertence à parte inferior. O suave e fraco pertence à parte superior.

As raízes são duras; elas pertencem à parte inferior. As flores são macias; elas pertencem à parte superior. E essa é a estrutura certa da sociedade: as pessoas que são fortes pertencem às raízes e as pessoas que são macias pertencem à parte superior. Os poetas e os pintores devem pertencer à parte superior. Os santos e os sábios devem pertencer ao pico mais alto. Soldados, políticos, homens de negócios devem pertencer à parte inferior; eles não devem pertencer à parte superior. Todo o mundo está de cabeça para baixo, porque as pessoas duras estão tentando ficar no topo.

É como se as raízes tivessem se tornado políticos e estivessem tentando ir para o topo da árvore, tentando forçar a flores a ir para as raízes, para o subsolo. Quando o mundo era mais equilibrado, por exemplo, na Índia, os brâmanes pertenciam ao topo. Nós os colocamos no topo. Os brâmanes são sábios, aqueles que conheceram o *Brahma*. Não é uma casta, não tem nada a ver com nascimento; tem algo a ver com ressurreição interna. As pessoas que conheceram o absoluto são brâmanes. Elas pertenciam ao topo, elas eram as flores. Até mesmo os reis, os imperadores muito fortes, tinham de se aproximar e curvar-se aos seus pés. Essa era a maneira correta — um rei, por mais forte que seja, por mais importante que seja, ainda é um rei. Um homem do mundo ainda é neurótico, ainda persegue a ambição do ego; ele tem de se curvar.

Aconteceu que Buda estava chegando a uma cidade e o rei da cidade hesitava um pouco em ir recebê-lo. O primeiro-ministro, um homem muito idoso e sábio, disse ao rei:

— O senhor precisa ir.

O rei respondeu:

— Não vejo necessidade. Ele é um mendigo. Ele que venha a mim! Qual a razão de eu ir às fronteiras do meu reino para recebê-lo? Eu sou o rei e ele um mendigo.

O velho primeiro-ministro apresentou a sua renúncia imediatamente, dizendo:

— Aceite a minha renúncia, porque se o senhor caiu tão baixo, eu não posso permanecer aqui. O senhor deve se lembrar de que é um rei e que ele renunciou a reinos. Ele não tem nada. Você tem um grande império, e ele simplesmente não tem nada. Ele pertence ao topo. E o senhor tem de ir e se curvar; do contrário, aceite a minha renúncia. Eu não posso ficar aqui neste palácio com o senhor. Isso é impossível para mim.

O rei teve de ir.

Quando o rei se curvou diante de Buda, conta-se que Buda lhe disse:

— Isso não era necessário. Ouvi dizer que você relutava em vir. Não era preciso, porque quando se está relutante, mesmo quando se vem, é como se não viesse. E o respeito não pode ser forçado. Entenda você isso ou não. Não havia necessidade... eu iria procurá-lo. E eu sou um mendigo... você é um imperador.

Então o rei começou a se lamentar e a chorar. Ele entendera a questão.

No Oriente, os brâmanes estavam no topo. Essa devia ser a maneira certa de estruturar a sociedade. Hoje, em todo o mundo, os políticos chegaram ao topo. Daí o sofrimento e o caos — tem de ser assim. O topo ficou muito pesado. Apenas as flores devem estar no topo — os sábios, os poetas, os místicos. Não os políticos.

O grande e forte pertence à parte inferior. O suave e fraco pertence à parte superior.

Lao-tsé está dizendo que, se você quiser pertencer ao topo, deve ser gentil e fraco. Seja tão fraco e gentil, tão suave, como a relva, não forte como as grandes árvores.

Lao-tsé tem um interesse profundo por tudo o que é inútil. Ele diz que ser inútil é ser protegido. Ser útil é perigoso, porque, se você é útil, então alguém vai usar você, você será explorado. Se você for forte, então será forçado a ir para o exército.

Lao-tsé estava passando por um vilarejo com os seus discípulos. Ao avistar um homem com uma corcunda, disse aos discípulos:

— Vão até aquele corcunda e perguntem como ele está se sentindo, porque ouvi dizer que a cidade está com problemas. O rei obrigou todos os homens jovens e fortes a entrarem para o exército.

Os discípulos foram até o corcunda e fizeram a pergunta. O corcunda respondeu:

— Estou contente! Por causa das minhas costas, eles não me obrigaram. Não tenho utilidade. Por isso estou salvo.

Os discípulos relataram o que ouviram e Lao-tsé lhes disse:

— Agora, lembrem-se. Sejam inúteis. Do contrário, vão se tornar alimento para a guerra.

Uma vez, passando por uma floresta, eles chegaram embaixo de uma grande árvore. Uns mil carros de boi poderiam descansar à sua sombra. Toda a floresta estava sendo derrubada, milhares de carpinteiros trabalhavam ali. Lao-tsé disse:

— Perguntem sobre o que aconteceu: por que não cortam esta grande árvore?

Os discípulos foram perguntar. O carpinteiro explicou:

— Aquela árvore não tem utilidade nenhuma. Os galhos não são retos, não se pode fazer móveis com eles; e, quando queimada, ela produz muita fumaça, de modo que não pode ser usada como lenha. E as folhas são tão amargas que nem mesmo os animais querem comê-las. Assim, ela é inútil. Foi por isso que não a cortamos.

Lao-tsé começou a rir e disse aos discípulos:

— Sejam inúteis como essa árvore. Então ninguém irá cortá-los. E olhem para esta árvore, como ela cresceu, só por ser inútil.

A vida pode ser considerada de duas maneiras. Você pode vê-la do ponto de vista utilitário; uma coisa tem de ser usada para outra — então a vida se torna um meio e é preciso atingir um fim. Ou a vida pode ser considerada como um meio de se obter prazer, não como uma utilidade — então este momento é tudo, não existe meta, nenhuma finalidade.

SEJA VULNERÁVEL

Outro dia eu estava lendo um poema. Um verso dele me tocou profundamente. Esse verso dizia: "Um poema não deveria significar, mas existir." Eu adorei. A vida não deveria significar nada, a vida deve existir! Um fim em si mesmo, sem ir para lugar nenhum... gozando o prazer aqui e ali, celebrando. Só então você pode ser suave. Se você está tentando ter alguma utilidade, vai endurecer. Se você está tentando alcançar alguma coisa, vai endurecer. Se você está tentando lutar, vai endurecer. Renuncie a tudo. Seja suave e delicado. E deixe que o fluxo da vida leve você para onde levar. Deixe que a meta do todo seja a sua meta. Não queira atingir uma meta pessoal. Seja apenas uma parte, e uma beleza e uma graça infinitas vão acontecer.

Tente sentir o que eu estou dizendo. Não é uma questão de entender, não é uma questão de capacidade intelectual. Sinta o que eu estou dizendo. Absorva o que eu estou dizendo. Deixe que isso exista com você. Deixe entrar fundo no seu ser: a vida não deve ter significado, a vida deve existir. E então, de repente, você torna-se suave. Toda a rigidez se vai, desaparece, se dissolve. O bebê é redescoberto; você conseguiu voltar a ser criança; aqueles olhos transparentes da infância estão novamente ao seu alcance. Você pode olhar e, então, o verde é totalmente diferente. O canto dos pássaros é totalmente diferente. Então o todo tem uma importância totalmente diferente. Ele não tem significado, ele tem importância. Significado diz respeito a utilidade; importância diz respeito ao prazer.

Sinta prazer em tudo e você será delicado. Siga o fluxo do rio. Torne-se o rio.

SEJA EGOÍSTA

Ninguém pode ser abnegado, altruísta, desinteressado, a não ser os hipócritas.

A palavra *egoísta* tem uma associação condenável, porque todas as religiões a condenam. Elas querem que você seja generoso. Mas por quê? Para ajudar os outros...

Eu me lembro: uma criança pequena estava conversando com a mãe dela e a mãe disse:

— Lembre-se sempre de ajudar os outros.

— Então o que os outros vão fazer? — perguntou a criança.

Naturalmente, a mãe respondeu:

— Eles irão ajudar os outros.

— Esse negócio parece estranho — comentou a criança. — Por que não ajudar a si mesmo, em vez de mudar e fazer as coisas tão complicadas sem necessidade?

O egoísmo é natural. Sim, chega um momento em que você está compartilhando por ser egoísta. Quando você está transbordando de alegria, então você pode compartilhar. Agora mesmo, pessoas miseráveis estão ajudando outras pessoas miseráveis. Cegos conduzindo outros cegos. Que ajuda você pode dar? Esta é uma idéia muito perigosa, que tem prevalecido ao longo dos séculos.

Numa escolinha, a professora disse aos alunos:

— No mínimo uma vez por semana vocês devem fazer uma boa ação.

Um menino perguntou:

— A senhora poderia nos dar alguns exemplos de boas ações? Não sabemos o que é bom.

— Está bem — concordou a professora. — Por exemplo, uma mulher cega quer atravessar a rua; então ajudem a pobre a atravessar a rua. Essa é uma boa ação; é uma ação virtuosa.

Na semana seguinte, a professora quis saber:

— Algum de vocês se lembrou do que eu lhes pedi para fazer?

Três crianças levantaram a mão. Ela comentou:

— Isso não é bom: quase toda a classe não fez nada. Mas, ainda assim, é bom que ao menos três meninos tenham feito algo de bom. — Ela perguntou ao primeiro: — O que você fez?

— Exatamente o que a senhora mandou — respondeu o garoto. — Eu ajudei uma senhora cega a atravessar a rua.

— Muito bem. Deus vai abençoar você — elogiou a professora. Então perguntou ao segundo menino: — E você, o que foi que fez?

Ele respondeu:

— A mesma coisa: ajudei a cega a atravessar a rua.

A professora ficou um tanto confusa — onde teriam arranjado todas aquelas mulheres cegas? Mas a cidade era grande; talvez pudesse haver duas cegas. Ela perguntou ao terceiro menino e ele respondeu:

— Fiz exatamente o que eles fizeram: ajudei uma cega a atravessar a rua.

A professora não se conteve:

— Mas onde encontraram tantas mulheres cegas?

Eles responderam:

— A senhora não entendeu: não eram três mulheres cegas; era a mesma mulher. E foi tão difícil ajudá-la a atravessar a rua! Ela nos batia, chutava e gritava conosco, porque não queria atravessar a rua. Mas nós pretendíamos fazer aquele ato virtuoso, mesmo com uma multidão reunida, as pessoas gritando conosco. Mas nós dissemos: "Não se preocupem. Vamos levá-la para o outro lado."

Dizem para as pessoas ajudar as outras, e elas estão vazias por dentro. Dizem para elas amar os outros — amar o próximo, amar os inimigos — e nunca dizem para amar a si mesmas. Todas as religiões, direta ou indiretamente, dizem para as pessoas se odiar. Uma pessoa que se odeia não pode amar ninguém; só pode fingir que ama.

A coisa básica é amar a si mesmo tão completamente que o amor extravase e chegue até os outros. Eu não sou contra compartilhar, mas sou absolutamente contra o altruísmo. Sou a favor de compartilhar, mas primeiro você deve ter algo que compartilhar. E então você não está fazendo nada a ninguém como uma obrigação — ao contrário, a pessoa que recebe alguma coisa de você vai ficar em dívida com você. Você deve ficar agradecido, porque a outra pessoa poderia ter rejeitado a sua ajuda; a outra pessoa foi generosa.

Toda a minha insistência é para que a pessoa seja tão feliz, tão alegre, tão sossegada, tão contente que, a partir do seu estado de satisfação, ele comece a compartilhar. Ele tem tanto; ele é como uma nuvem de chuva — tem de chover. Se a sede dos outros for saciada, se a sede da terra for saciada, isso será secundário. Se cada pessoa estiver cheia de alegria, cheia de luz, cheia de silêncio, ela estará compartilhando isso sem ninguém lhe pedir, porque compartilhar é uma alegria. Dar é mais agradável do que receber.

No entanto, toda essa estrutura precisa ser mudada. As pessoas não deveriam ser ensinadas a ser altruístas. Elas são miseráveis — o que podem dar? Elas são cegas — o que podem fazer? Elas perderam a própria vida — o que podem fazer? Elas só podem dar o que têm. Então as pessoas dão tristeza, sofrimento, angústia, ansiedade a todos os que entram em contato com elas. Isso é altruísmo? Não, eu gostaria que todo mundo fosse totalmente egoísta.

Toda árvore é egoísta: ela traz água para as suas raízes, ela leva seiva para os seus galhos, para as folhas, para os frutos, para as flores. E, quando floresce, ela libera perfume para todos — conhecidos, desconhecidos, familiares, estranhos. Quando está carregada de frutos, ela compartilha, dá esses frutos. Mas, se você ensinasse às árvores a ser altruístas, todas morreriam, assim como toda a humanidade está morta — apenas cadáveres ambulantes. E caminhando para onde? Caminhando para o túmulo, para finalmente descansar em suas sepulturas.

A vida deveria ser uma dança. E a vida de todo mundo pode ser uma dança. Ela deveria ser uma música — e então você poderia compartilhar; você teria de compartilhar. Eu não preciso dizê-lo, porque essa é uma das leis fundamentais da existência: quanto mais você compartilha as suas alegrias, mais elas aumentam.

Mas eu ensino o egoísmo.

UMA TÉCNICA DE MEDITAÇÃO[1]

*S**inta a consciência de cada pessoa como sendo a sua própria consciência.*
Portanto, deixando de lado o interesse pelo eu, torne-se todos os seres.

Sinta a consciência de cada pessoa como sendo a sua própria consciência — na verdade, é assim que é, mas não se percebe. Você sente a sua consciência como sua, e a consciência dos outros você nunca sente. No máximo, você deduz que os outros também são conscientes. Se você deduz isso é porque pensa que, porque você é consciente, os outros seres como você devem ser conscientes. Essa é uma dedução lógica; você não os sente como conscientes. É como quando você tem uma dor de cabeça: você sente a sua dor de cabeça, você tem consciência dela. Mas, se outra pessoa tiver dor de cabeça, você deduz — você não pode sentir a dor de cabeça do outro. Você simplesmente deduz que tudo o que o outro está dizendo deve ser verdade e ele deve ter alguma coisa parecida com o que você tem. Mas você não pode sentir isso.

---
[1] Este método, e muitos métodos semelhantes, aparecem em *The Book of Secrets*, de Osho, publicado por St. Martin's Press.

UMA TÉCNICA DE MEDITAÇÃO

A sensação só pode vir se você se tornar consciente da consciência dos outros — do contrário é uma dedução lógica. Você acredita, você confia, que os outros estão dizendo alguma coisa honestamente, e o que quer que estejam dizendo vale a pena acreditar, porque você também tem experiências semelhantes.

Existe uma escola lógica que diz que nada pode ser conhecido sobre o outro: isso é impossível. No máximo, pode haver uma dedução mas nada certamente pode ser conhecido sobre os outros. Como você pode saber que os outros sentem dor como você, que os outros têm ansiedades como você? Os outros existem mas não podemos penetrar neles, só podemos tocar a sua superfície. O ser interior deles permanece desconhecido. Nós permanecemos fechados em nós mesmos.

O mundo ao nosso redor não é um mundo sentido; é apenas deduzido — logicamente, racionalmente. A mente diz que ele está ali, mas o coração não é tocado por ele. É por isso que nos comportamos com os outros como se eles fossem coisas, não pessoas. Nosso relacionamento com as pessoas é como o nosso relacionamento com as coisas. Um marido se comporta com a esposa como se ela fosse uma coisa: ele a possui. A esposa possui o marido como a uma coisa. Se nós nos comportássemos com os outros como se eles fossem pessoas, então não tentaríamos possuí-los, porque só as coisas podem ser possuídas.

Uma pessoa significa liberdade. Uma pessoa não pode ser possuída. Se você tentar possuí-la, irá matá-la; ela vai se tornar uma coisa. Nosso relacionamento com os outros é realmente não um relacionamento do tipo "eu e tu"; no fundo ele é mais um relacionamento do tipo "eu e isso". O outro é simplesmente uma coisa a ser manipulada, a ser usada, explorada. É por isso que o amor vai ficando cada vez mais impossível, porque o amor significa considerar o outro como uma pessoa, como um ser consciente, como uma liberdade, como algo tão valioso quanto você.

Se você se comporta como se tudo fosse uma coisa, então você é o centro e as coisas só servem para serem usadas. O relacionamento torna-se utilitário. As coisas não têm valor em si — o valor está no fato de você poder usá-las; elas existem para você. Você pode se referir à sua casa — a casa existe para você. É uma utilidade. O carro existe para você. Mas a esposa não existe para você e o marido não existe para você. O marido existe para ele mesmo e a esposa existe para ela mesma. Uma pessoa existe para ela mesma; é isso que significa ser uma pessoa. E se você permitir que a pessoa seja uma pessoa e não a reduzindo a ser uma coisa, você pouco a pouco vai começar a senti-la. Do contrário você não conseguirá sentir. O seu relacionamento vai permanecer conceitual, intelectual, mente a mente, cabeça a cabeça — mas não coração a coração.

Esta técnica diz: *Sinta a consciência de cada pessoa como sendo a sua própria consciência.* Isso pode ser difícil porque, primeiro, você tem de sentir a pessoa como uma pessoa, como um ser consciente. Mesmo que seja difícil.

Jesus diz: "Ama o teu próximo como a ti mesmo." Isso é a mesma coisa — mas o outro deve primeiro tornar-se uma pessoa para você. Ele deve existir por conta própria, não para ser explorado, manipulado, utilizado; não como um meio mas como um fim em si mesmo. Primeiro, o outro deve tornar-se uma pessoa; o outro deve tornar-se um "tu", tão valioso quanto você. Só então essa técnica pode ser aplicada. *Sinta a consciência de cada pessoa como sendo a sua própria consciência.* Primeiro, sinta que o outro é consciente, e depois isso poderá acontecer — você poderá sentir que o outro tem a mesma consciência que você. Na verdade, o "outro" desaparece; apenas uma consciência flui entre você e ele. Vocês se tornam dois pólos de uma consciência fluente, de uma corrente.

No amor profundo duas pessoas podem não serem duas. Algo entre as duas acontece e elas acabam tornando-se dois pólos. Algo flui entre as duas. Quando esse fluxo existe, vocês se sentem felizes, bem-aventurados. Se o amor dá alegria, ele dá alegria apenas por causa disto: essas duas pessoas, só por um único momento, perdem o seu ego — o "outro" se perde e a unidade passa a existir só por um único momento. Se isso acontece, é um êxtase, dá alegria, vocês entraram no paraíso. Apenas por um único momento, e isso pode ser transformador.

Esta técnica diz que você pode fazer isso com todas as pessoas. No amor você pode fazê-lo com uma pessoa, mas na meditação você tem de fazê-lo com todas as pessoas. Quem quer que se aproxime de você, simplesmente dissolva-se dentro dessa pessoa e sinta que vocês não são duas vidas mas uma vida, fluindo. Isso simplesmente muda a configuração. Depois que você souber como fazer, depois de tê-lo feito, é muito fácil. No início, parece impossível, porque somos muito presos ao nosso ego. É difícil abrir mão dele, difícil tornar-se um fluxo. Então, será bom se, no início, você tentar com algo de que não tenha muito medo ou receio.

Você terá menos medo de uma árvore; então será mais fácil. Sentado próximo a uma árvore, sinta a árvore e sinta que você entrou em comunhão com ela, que há um fluxo entre vocês, uma comunicação, um diálogo, uma fusão. Sentado próximo a um rio de águas correntes, apenas sinta o fluxo, sinta que você e o rio se tornaram uma coisa só. Deitado embaixo do céu, sinta que você e o céu se tornaram uma coisa só. No início, será apenas imaginação; mas pouco a pouco você vai sentir que está tocando a realidade além da imaginação.

E, então, experimente fazer isso com pessoas. No começo é difícil, porque você tem medo. Porque você se acostumou a reduzir as pessoas a coisas, teme que, se permitir a alguém tanta intimidade, esse alguém também o reduza a uma coisa. Esse é o medo. Então, ninguém permite muita intimidade: sempre se guarda e se mantém uma distância. A proximidade em excesso é perigosa, porque o outro pode converter você numa coisa, pode tentar possuir você. Esse é o medo. Você tenta converter os outros em coisas e os outros tentam converter você — e ninguém quer ser uma coisa, ninguém quer se tornar um meio, ninguém quer ser usado. É a experiência mais degradante ser reduzido a apenas um meio para alguma coisa, sem nenhum valor por si mesmo. Mas todo mundo tenta. Por causa disso, existe um medo profundo e é difícil começar essa técnica com as pessoas.

Portanto, comece com um rio, com uma colina, com as estrelas, com o céu, com as árvores. Depois que você souber como é a sensação do que acontece quando entra em comunhão com a árvore, depois que aprender como lhe dá alegria entrar em comunhão com o rio, que sem perder nada você ganha a vida plena — então você poderá experimentar com as pessoas. E se consegue tanta felicidade com a árvore, com o rio, você não pode imaginar como é muito mais gratificante com uma pessoa, porque uma pessoa é um fenômeno superior, um ser mais altamente evoluído. Por meio de uma pessoa, você alcança picos mais elevados da vida. Se você puder entrar em êxtase até mesmo com uma rocha, com uma pessoa você poderá sentir um êxtase divino.

Mas comece com algo de que não tenha medo. Ou então, se possível, com a pessoa amada, com um amigo, um namorado, um amante — alguém de quem não tenha medo; com quem você possa realmente ficar em intimidade e bem próximo sem sentir medo; com quem você possa se entregar sem no fundo ficar apavorado de que o outro possa transformá-lo em coisa. Se você tem alguém assim, então experimente esta técnica. Entregue-se conscientemente a essa pessoa. Quando você se entrega conscientemente a alguém, esse alguém vai se entregar a você; quando você se abre e flui para dentro do outro, o outro começa a fluir em você e ocorre uma união profunda, uma comunhão. As duas energias se fundem. Nesse estado, não existe ego, não existe o indivíduo — existe simplesmente consciência. E se isso é possível com um indivíduo, é possível com todo o universo. O que os santos chamam de êxtase, *samadhi*, é simplesmente um fenômeno de amor profundo entre uma pessoa e todo o universo.

Sinta a consciência de cada pessoa como sendo a sua própria consciência. Portanto, deixando de lado o interesse pelo eu, torne-se todos os seres. Torne-se a árvore, torne-se o rio, torne-se a esposa, torne-se o marido, torne-se o filho, torne-se a mãe, torne-se o amigo — isso pode ser praticado a todo momento na vida. Mas no início será difícil. Portanto, faça-o pelo menos durante uma hora por dia. Nessa hora, tudo o que passar por você vai se tornar isso. Você vai se admirar de como isso acontece — não há outra maneira de saber como acontece; você tem de praticar.

Sente-se ao lado da árvore e sinta que você se tornou a árvore. E quando o vento soprar e toda a árvore começar a balançar e a tremer, sinta esse balanço e esse tremor em você; quando o sol nascer e a árvore inteira ganhar vida, sinta essa vida em você; quando a chuva cair e toda a árvore ficar feliz e contente, uma antiga sede e uma longa espera ficarem satisfeitas, e a árvore ficar feliz e contente, sinta a felicidade e o contentamento da árvore e, então, você vai tomar consciência dos humores sutis, das nuanças de uma árvore.

Você vê essa árvore há muitos anos, mas não conhece os humores dela. Às vezes ela está feliz; às vezes ela está infeliz. Às vezes ela está triste, preocupada, frustrada; às vezes está muito alegre, em êxtase. Os humores existem. A árvore está viva e tem sentimentos. Se você se tornar uma coisa só com ela, você vai sentir isso. Então vai sentir se a árvore é jovem ou velha; se a árvore está insatisfeita com a vida ou satisfeita; se a árvore está apaixonada pela vida ou não — se é anti, contra, se está com raiva, furiosa; se a árvore é violenta ou sente uma compaixão profunda. Assim como você muda a cada momento, a árvore também está mudando — isso você vai perceber se você sentir uma profunda afinidade com ela, o que chamam de empatia.

Empatia significa que vocês se tornaram tão simpáticos que realmente viraram uma coisa só. Os humores da árvore tornaram-se os seus humores. E então, se isso for mais fundo, sempre mais fundo, você poderá conversar, comunicar-se com a árvore. Conhecendo os humores dela, você começará a entender a linguagem dela, e a árvore vai compartilhar a mente dela com você. Ela vai compartilhar as agonias e os êxtases dela com você.

E isso pode acontecer com todo o universo.

Pelo menos durante uma hora por dia, tente ficar em empatia com algo. No começo, você poderá pensar que é tolice. Você vai pensar: "Que tipo de estupidez estou fazendo?" Vai olhar em volta e sentir que, se alguém olhar, ou se vier a saber, vai pensar que você ficou louco. Mas só no começo. Depois que você entrar nesse mundo da empatia, o mundo inteiro vai lhe parecer uma loucura. Eles estão perdendo muita coisa sem necessidade. A vida propicia tudo em tamanha abundância, e eles estão perdendo. Eles estão perdendo porque estão fechados: eles não deixam que a vida entre neles. E a vida só poderá entrar em você se você entrar na vida por meio de muitos e muitos caminhos, por meio de muitas dimensões. Fique em empatia por pelo menos durante uma hora a cada dia.

Esse era o significado da oração no início de todas as religiões. O significado da prece era estar em afinidade com o universo, estar numa profunda comunicação com o universo. Na prece, você conversa com Deus — Deus significa a totalidade. Às vezes você pode estar com raiva de Deus, às vezes agradecido, mas uma coisa é certa: você está em comunicação. Deus não é um conceito mental; ele tornou-se um relacionamento profundo, íntimo. É isso que a oração significa.

Mas as nossas preces foram estragadas, porque não sabemos como nos comunicar com os seres. E se você não consegue se comunicar com os seres, você não consegue se comunicar com o Ser — Ser com "S"

UMA TÉCNICA DE MEDITAÇÃO

maiúsculo —, é impossível. Se você não consegue se comunicar com uma árvore, como você pode se comunicar com a vida como um todo? E se você se sente um tolo conversando com uma árvore, vai se sentir um tolo maior conversando com Deus.

Reserve uma hora por dia para um estado mental de oração, e não faça a sua prece como uma expressão verbal. Faça dela um caso emocional. Em vez de conversar com a cabeça, sinta. Vá tocar a árvore, abraçar a árvore, beijar a árvore; feche os olhos e fique junto da árvore como se estivesse com a pessoa amada. Sinta a árvore. E logo você vai entender profundamente o que significa deixar o eu de lado, o que significa tornar-se o outro.

Sinta a consciência de cada pessoa como sendo a sua própria consciência. Portanto, deixando de lado o interesse pelo eu, torne-se todos os seres.

NO CAMINHO DA INTIMIDADE

Respostas a Perguntas

As pessoas aparecem com perguntas que as fazem sentir-se muito inteligentes. Elas querem perguntar, não para ter uma resposta, mas apenas para mostrar conhecimento. No entanto, eu sou uma pessoa maluca: nunca respondo às perguntas que brotam do conhecimento delas. Eu simplesmente jogo as perguntas fora.

Eu só respondo às perguntas que abrem a ferida das pessoas porque, depois que a ferida está aberta, existe a possibilidade de cura. Depois que você se expõe, entra no caminho da transformação. E a menos que mostre a sua verdadeira face, é impossível fazer mudanças na sua vida, fazer transformações na sua consciência.

Por que considero ameaçadoras as pessoas atraentes?

~

As pessoas atraentes são ameaçadoras por muitos motivos. Em primeiro lugar, quanto mais a pessoa é atraente para você, maior é a possibilidade de você se tornar um escravo dela — esse é o medo. O encanto, o magnetismo, a magia — você vai ficar possuído, você vai ser reduzido ao papel de escravo.

As pessoas atraentes *são* atraentes e ainda assim provocam medo. Elas são bonitas; você gostaria de se relacionar com elas, mas relacionar-se com elas significa perder a sua liberdade. Relacionar-se com elas significa não ser mais você mesmo. E porque elas são atraentes, você não será capaz de deixá-las; estará preso. Você conhece a sua tendência: quanto mais atraente a pessoa é, mais você vai ficar envolvido; você vai ficar cada vez mais dependente. Esse é o medo.

Ninguém quer se tornar dependente. A liberdade é o valor supremo. Nem mesmo o amor é superior à liberdade. A liberdade é o valor supremo; em seguida vem o amor. E há um conflito constante entre amor e liberdade. O amor tenta tornar-se o valor supremo. Ele não é. E o amor tenta destruir a liberdade; só então ele pode ser o valor supremo. E aqueles que amam a liberdade passam a ter medo do amor.

E amor significa ser atraído por uma pessoa atraente. Quanto mais bonita for a pessoa, mais você vai se sentir atraído, mais medo sentirá, porque agora você estará entrando num terreno de onde será difícil escapar. Você pode escapar de uma pessoa comum, de uma pessoa familiar, com mais facilidade. E se a pessoa for feia, você estará livre; você precisa não se tornar dependente demais.

O Mulla Nasruddin casou-se com a mulher mais feia da cidade. Ninguém podia acreditar. As pessoas perguntaram a ele:

— Nasruddin, o que aconteceu com você?

Ele respondeu:

— Há uma lógica nisso. Essa era a única mulher de quem eu poderia fugir a qualquer momento. Na verdade, será difícil não fugir. Essa é a única mulher na cidade em quem eu posso confiar. As pessoas bonitas não são de confiança. Elas se apaixonam com facilidade, porque muitas pessoas são atraídas por elas. Eu posso confiar nessa mulher; ela sempre vai ser sincera comigo. Eu não preciso me preocupar com ela; posso me ausentar da cidade durante meses sem medo nenhum. A minha mulher vai continuar sendo minha.

Entenda o ponto de vista dele: se a pessoa é feia, você pode possuir a pessoa. A pessoa feia vai depender de você. Se a pessoa for bonita, a pessoa bonita vai possuir você. Beleza é poder, é um poder tremendo.

A pessoa feia torna-se um escravo, um servo. A pessoa feia substitui de todas as maneiras a beleza que lhe falta. A mulher feia é melhor esposa do que a bonita — ela tem de ser. Ela vai cuidar mais de você, será uma enfermeira melhor — porque ela sabe que lhe falta a beleza e ela tem de oferecer alguma coisa no lugar. Ela será muito boa para você; ela nunca irá aborrecer você, ela nunca irá enfrentar você, ela não estará sempre discutindo com você — ela não pode dar-se esse luxo.

As pessoas bonitas são perigosas. Elas podem se dar o luxo de lutar. Portanto, são essas as razões.

Você me pergunta: "Por que considero ameaçadoras as pessoas atraentes?"

Elas são. A menos que você entenda e tome consciência disso, você vai continuar tendo esse medo. Atração e medo são dois aspectos do mesmo fenômeno. Você sempre é atraído pela mesma pessoa de quem sente um grande medo. O medo significa que você vai ser secundário.

Na verdade, as pessoas querem o impossível. Uma mulher quer o homem mais bonito e mais poderoso do mundo — mas também quer que ele continue interessado apenas nela. Acontece que esse é um desejo impossível. A pessoa mais bonita e poderosa tende a ficar interessada por muito mais pessoas. E muito mais pessoas estarão interessadas nela. O homem gostaria de ter a mulher mais bela do mundo, mas também iria querer que ela permanecesse muito fiel a ele, devotada a ele. Isso é difícil; é pedir o impossível.

E, lembre-se: se alguma mulher parece muito bela a você, isso simplesmente mostra que você não é muito bonito. E você também sente medo — se a mulher parece tão bela a você, o que estará acontecendo do outro lado? Você não vai parecer tão bonito para ela. Existe medo — ela pode deixar você. Todos esses problemas existem. Mas esses problemas surgem apenas porque o seu amor não é verdadeiramente amor, mas um jogo. Se fosse realmente amor, então nunca pensaria no futuro. Então não haveria problema com o futuro. O amanhã não existe para o verdadeiro amor; o tempo não existe para o verdadeiro amor.

Se você ama uma pessoa, você ama uma pessoa. O que vai acontecer amanhã — quem se importa? Hoje é o bastante, este momento é uma eternidade. O que vai acontecer amanhã, veremos... quando o amanhã chegar. E o amanhã nunca chega. O amor verdadeiro é do presente.

Lembre-se sempre: tudo o que é verdadeiro faz parte da consciência, tem de fazer parte do presente, tem de fazer parte da meditação. Então não existe problema! E não existe a questão da atração, nem existe a questão do medo.

O verdadeiro amor compartilha; não é para explorar o outro, não é para possuir o outro. Quando você quer possuir o outro, então surge o problema: o outro pode possuir você. E se o outro for mais poderoso, mais magnético, naturalmente você será um escravo. Se você quiser tornar-se o senhor do outro, então surgirá o medo de que "Eu possa ser reduzido a um escravo". Se você não quiser possuir o outro, então nunca surgirá o medo de que o outro possa possuir você. O amor nunca possui.

O amor nunca possui e o amor nunca pode ser possuído. O verdadeiro amor leva você para a liberdade. A liberdade é o pico mais alto, o valor supremo. E o amor está mais próximo da liberdade; a próxima etapa depois do amor é a liberdade. O amor não é contra a liberdade; o amor é um meio para alcançar a liberdade. É isso que a consciência vai deixar claro para você: que o amor tem de ser usado como um meio para alcançar a liberdade. Se você ama, você deixa o outro livre. E quando você deixa o outro livre, é deixado livre pelo outro.

Amar é compartilhar, não explorar. E, na verdade, o amor nunca raciocina em termos de feiúra e beleza também. Você pode se surpreender: o amor nunca raciocina em termos de feiúra e beleza. O amor apenas age, reflete, medita — nunca pensa. Sim, às vezes acontece de você se ajustar perfeitamente com alguém — de repente, tudo fica em harmonia. Não é uma questão de beleza ou feiúra: é uma questão de harmonia, um ritmo.

Alguém perguntou sobre o que George Gurdjieff costumava dizer, que para todo homem existe uma mulher correspondente em algum lugar na terra, para cada mulher existe um homem correspondente em algum lugar na terra. Cada um nasce com o pólo oposto. Se você conseguir encontrar o outro, tudo entrará imediatamente em harmonia. Todos os seus centros funcionam harmoniosamente — isso é amor. É um fenômeno muito raro. É muito raro encontrar um par que realmente combine. A nossa sociedade existe com tantos tabus, tantas inibições, que é quase impossível encontrar o companheiro verdadeiro, o amigo verdadeiro.

No Oriente, a mitologia tem uma história, um belo mito, de que, no começo, quando o mundo foi criado, nenhuma criança nascia sozinha, mas como um casal: um menino, uma menina, juntos, da mesma mãe. Gêmeos, ajustados um ao outro completamente — esse era o casal. Eles estavam sintonizados de todas as maneiras um com o outro. Então o homem caiu em desgraça — exatamente como na idéia do pecado original —, o homem caiu em desgraça, e como punição os casais não nasceram mais da mesma mãe. Mas ainda continuam nascendo! Gurdjieff está certo — é o que eu penso também. Cada pessoa tem um parceiro divino em algum lugar. Mas é muito difícil encontrá-lo, porque você pode ser branco e a outra polaridade ser preta; você pode ser hinduísta e a outra polaridade pode ser muçulmana; você pode ser chinês e a outra polaridade pode ser alemã.

Num mundo melhor, as pessoas iriam procurar e buscar — e a menos que você possa encontrar a pessoa verdadeira que se encaixa com você, você vai permanecer numa espécie de tensão, de angústia. Se você está sozinho, está angustiado; se encontra a outra pessoa, está angustiado, pensando que a outra pessoa não se encaixa com você, ou apenas se encaixa até certo ponto. Hoje, pela pesquisa científica, também isso foi descoberto, que existem pessoas que se encaixam e pessoas que não se encaixam. Hoje, podem ser feitos ajustes científicos; toda pessoa pode encontrar os seus centros, a sua carta natal, o seu ritmo — atualmente existe toda a possibilidade de encontrar a outra pessoa que se encaixa exatamente. O mundo ficou muito pequeno e, uma vez que você encontre a outra pessoa... não é uma questão de beleza e feiúra, de maneira nenhuma.

Na verdade, não existe ninguém que seja feio e ninguém que seja bonito. A pessoa feia pode se encaixar com alguém — então a pessoa feia é bonita para essa pessoa. A beleza é uma sombra de harmonia. Não é que você se apaixone por pessoas bonitas; o processo é exatamente o contrário. Quando você se apaixona por uma pessoa, a pessoa parece bonita. É o amor que traz a idéia de beleza em si, e não vice-versa.

Mas é raro encontrar uma pessoa que se encaixe totalmente com você. Sempre que alguém é bastante afortunado, a vida é vivida com uma melodia; então há dois corpos e uma alma. Esse é o verdadeiro casal. E sempre que você encontra esse tipo de casal, há um grande encanto e uma grande música em torno dele; uma grande aura, uma luz bela, um silêncio. E o amor leva, então, naturalmente, à meditação.

As pessoas deveriam poder se conhecer e se envolver até encontrar quem procuram. As pessoas deveriam não ter pressa para se casar. A pressa é perigosa; ela só traz divórcios, ou traz uma vida muito longa de sofrimento. As crianças deveriam poder conhecer umas às outras e deveríamos deixar de lado todos os tabus e inibições pré-tecnológicos; eles não são mais relevantes.

Estamos vivendo uma época pós-tecnológica; o homem amadureceu e tem de mudar muitas coisas, porque muitas coisas estão erradas. Elas foram desenvolvidas no passado; havia necessidade delas — hoje, não são mais necessárias. Por exemplo, hoje as pessoas podem viver juntas, homens e mulheres; não há necessidade de pressa para se casar. E se você tiver conhecido muitos homens e muitas mulheres, só então saberá quem se encaixa com você e quem não se encaixa. Não é uma questão de nariz comprido ou de um rosto bonito; a pessoa pode ter um rosto bonito e você se sentir atraído, e pode ter olhos bonitos e grandes, e você se sentir atraído, e a cor do cabelo... mas essas coisas não importam! Quando vocês vivem juntos, depois de dois dias, vocês não vão notar a cor do cabelo; e depois de três dias vocês não vão notar o comprimento do nariz; e depois de três semanas vocês terão se esquecido completamente da fisiologia um do outro. Então, a realidade cairá sobre vocês. Então o que interessa é a harmonia espiritual.

O casamento, até agora, tem sido um assunto horrível. E os padres ficam felizes em permiti-lo — não só felizes em permiti-lo, pois foram eles que o inventaram. E havia algum motivo para os padres e todo o mundo estarem a favor desse horrível casamento que existe sobre a terra há cinco mil anos. O motivo é que, se as pessoas são infelizes, só então elas irão às igrejas, aos templos; se as pessoas são infelizes, só então elas estarão prontas para renunciar à vida; se as pessoas são infelizes, só então elas estarão nas mãos dos padres! Uma humanidade feliz não terá nada a ver com os padres. Obviamente — se você está saudável, não tem nada a ver com o médico. Se você está psicologicamente íntegro, não tem nada a ver com um psicanalista. Se você está espiritualmente íntegro, não tem nada a ver com um padre.

E o casamento cria a maior desarmonia espiritual. Os padres criaram o inferno sobre a terra. Esse é o segredo do negócio deles — então as pessoas ficam inclinadas a procurá-los para pedir conselhos. A vida é tão infeliz! E então eles podem lhes dizer como se livrar da vida. Eles podem lhes ensinar rituais sobre como nunca mais nascer, como sair da roda do nascimento e da morte. Eles tornaram a vida um inferno, e então eles lhes ensinam como se livrar desse inferno.

Eu me esforço justamente no sentido contrário: quero criar o céu aqui e agora, de modo que não haja necessidade de se livrar de nada. Não há necessidade de pensar em livrar-se do nascimento e da morte, e não há necessidade das assim chamadas religiões antigas. O que se precisa é de mais música, mais poesia, mais arte. Com certeza, precisa-se de mais misticismo. Precisa-se de mais ciência — e então nascerá um tipo totalmente diferente de religião, uma nova religião. Uma religião que não vai ensinar a você ideologias contra a vida, mas que vai ajudá-lo a viver a vida com mais harmonia, mais artisticamente, mais sensivelmente, mais centrado, enraizado na terra. Uma religião que lhe ensine a arte da vida, a filosofia da vida, e que vai lhe ensinar como ser mais festivo.

Você pergunta: "Por que considero ameaçadoras as pessoas atraentes?"

Porque no fundo de você há uma busca, como há em todo mundo, pelo outro pólo, e você não quer se envolver com alguém que possa não ser o outro pólo. Mas não existe outra maneira de encontrar o outro pólo a não ser se envolvendo com muitas e muitas amizades, em muitos e muitos casos de amor. Se você realmente quiser encontrar a pessoa amada, terá de passar por muitos casos de amor. Esse é o único jeito de aprender. Deixe o seu medo de lado...

E se você começar se associando a pessoas feias com medo das pessoas bonitas, isso não vai satisfazer você.

Os Cohens estavam alugando um apartamento mobiliado. O sr. Cohen achou que o lugar atendia a todos os seus requisitos, mas a sra. Cohen hesitou:

— Não gosto deste apartamento.

— Qual é o problema, Rachel? Não é um bom apartamento? Ora, ele tem todas as conveniências modernas: banheiros, boa iluminação, um bom encanamento com água quente e fria. Por que não gosta?

— Eu concordo com tudo o que você diz, mas não tem cortina no banheiro. Toda vez que eu tomar banho, os vizinhos vão me ver.

— Tudo bem, Rachel: quando os vizinhos a virem, *eles* vão comprar as cortinas.

A feiúra pode ter os seus usos, mas não lhe dará satisfação. E se você tiver medo de pessoas bonitas, lembre-se de que na verdade está com medo de se envolver num relacionamento íntimo e profundo — você quer manter distância, quer manter distância para poder fugir quando for preciso. Mas essa não é a maneira de entrar num relacionamento; não é a maneira de conhecer os segredos do amor. É preciso ficar completamente vulnerável. É preciso tirar a armadura e baixar as defesas.

Se isso assusta você, deixe que assuste, mas vá em frente. O medo vai desaparecer. A única maneira de se livrar de qualquer medo é mergulhar fundo exatamente naquilo que lhe dá medo. Se alguém me procurar dizendo: "Tenho medo do escuro", eu sempre vou sugerir a essa pessoa: "A única maneira é sair na noite escura, sentar-se sozinho em algum lugar fora da cidade, embaixo de uma árvore. Por mais que esteja tremendo de medo, transpirando, nervoso, fique sentado lá! Por quanto tempo você vai tremer de medo? Pouco a pouco, as coisas se acomodam. O coração vai começar a bater normalmente... e de repente você vai ver que a escuridão também não é assim tão assustadora. E pouco a pouco você vai perceber as belezas que existem na escuridão, que só a escuridão pode ter — a profundidade, o silêncio, o toque aveludado dela, a calma, a música da noite escura, os insetos, a harmonia. E pouco a pouco, enquanto o medo desaparece, você vai se surpreender ao perceber que a escuridão não é tão escura — ela tem a sua própria luminosidade. Você vai começar a ver uma coisa — vaga, não clara. Mas a claridade dá uma superficialidade às coisas; a imprecisão dá profundidade e mistério. A luz nunca pode ser tão misteriosa quanto a escuridão. A luz é muito prosa; a escuridão é poesia. A luz é nua; portanto, até que ponto você pode permanecer interessado nela? Mas a escuridão é velada; ela desperta um grande interesse, uma grande curiosidade, de ser revelada.

Se você tem medo do escuro, procure o escuro. Se tem medo do amor, procure o amor. Se tem medo de ficar sozinho, então vá para o Himalaia e fique sozinho. Essa é a única maneira de perder esse medo. E às vezes, se você pode fazer uma coisa deliberadamente, isso dá uma grande consciência.

Uma vez um rapaz me procurou — ele era professor em uma faculdade — e o problema era que ele andava como uma mulher. E estar numa universidade, ser professor e andar como mulher era um desastre.

Ele estava muito embaraçado. E tinha experimentado todos os métodos possíveis.

Eu disse a ele:

— Escute aqui, é impossível que você esteja fazendo uma coisa dessas; um homem realmente não pode andar como uma mulher. Isso que você está fazendo é praticamente um milagre! Porque andar como uma mulher significa que você deve ter um útero dentro da sua barriga; é por causa do arredondamento causado pelo útero que a mulher caminha de maneira diferente. O alinhamento do corpo dela é diferente. Mas um homem realmente não pode caminhar assim — se um homem puder... — Então concluí: — Isso deveria ser algo de que se orgulhar! Você está fazendo um milagre. Mostre para mim.

— O que você está querendo dizer com milagre? — perguntou ele.

— Apenas ande aí para eu ver — disse eu — e ande como uma mulher.

Ele tentou e não conseguiu. Ele não conseguia andar como uma mulher. E eu lhe disse:

— Bem, aí está o segredo. Volte para a universidade... Até agora, você tentou *não* andar como uma mulher. De agora em diante, tente andar como uma mulher com toda a força de vontade. Seu esforço para *não* andar como uma mulher era a causa de todo o problema. Isso se tornou uma obsessão, uma hipnose. Você se hipnotizou. A única maneira de desfazer essa hipnose é agir com deliberação. Volte para a universidade imediatamente — concluí — e ande bastante, tentando de todas as maneiras possíveis mostrar que você é uma mulher.

Ele tentou e não conseguiu — e desde essa ocasião não conseguiu mais.

Se você tem medo — no seu caso, de pessoas atraentes — é a mesma coisa, lembre-se. Se você tem medo de que alguém toque o seu umbigo, ou tem medo do escuro, ou tem medo de andar como uma mulher, ou tem medo disso ou daquilo, XYZ, não importa. O medo tem de ser eliminado porque o medo é um processo incapacitante, um processo paralisante.

E a única maneira de eliminá-lo é enfrentando-o. Experimentar liberta. É melhor aprender. É melhor livrar-se do medo. É melhor se relacionar com as pessoas. E, na verdade, se você começar a se relacionar, vai descobrir que todas as pessoas têm algo de belo. Ninguém é desprovido de beleza. Talvez a beleza tenha dimensões diferentes — o rosto de uma pessoa é bonito, a voz de outra é bonita, o corpo de outra é bonito, a inteligência de outra é que é bonita. Ninguém é desprovido de beleza; a vida dá a todos um ou outro tipo de beleza. Existem tantas belezas quanto pessoas.

E a única maneira de entrar em contato com a beleza de uma pessoa é tornar-se íntimo, deixar todos os medos de lado, baixar todas as defesas. E você vai ficar surpreso: Deus se expressa de formas diferentes — Deus é beleza.

No Oriente, temos três palavras para Deus: *satyam* — verdade; *shivam* — o bem supremo; *sundram* — a beleza suprema. E a beleza é a última delas — Deus é belo, Deus é beleza. Sempre que encontrar a beleza, ela será um reflexo da beleza de Deus. E se você tiver medo do reflexo, como poderá se relacionar com o verdadeiro? O reflexo existe para você aprender a lição, de modo que um dia possa se relacionar com o verdadeiro.

Por que me sinto acanhado?

A liberdade é a meta da vida. Sem liberdade, a vida não tem nenhum significado. Porque a "liberdade" não é política, social ou econômica. "Liberdade" significa liberdade temporal, liberdade de pensamento, liberdade de desejo. No momento em que a mente não existe mais, você está em união com o universo; você é tão vasto quanto o universo.

A mente é que é a barreira entre você e a realidade, e por causa dessa barreira você permanece confinado numa célula escura onde não chega luz nenhuma e onde nenhuma alegria penetra. Você vive em sofrimento porque não está destinado a viver num espaço confinado, tão pequeno. O seu ser quer se expandir para a fonte suprema da vida. O seu ser deseja ser oceânico, e você se tornou uma gota de orvalho. Como é que você pode ficar feliz? Como pode ficar contente? O homem vive em sofrimento porque vive aprisionado.

E Gautama Buda diz que o *tanha* — o desejo — é a causa profunda de todo o nosso sofrimento, porque o desejo cria a mente. Desejo significa criar o futuro, projetar-se no futuro, procurar o amanhã. Procure o amanhã, e o hoje desaparece, você não pode mais enxergá-lo; os seus olhos estão toldados pelo amanhã. Procure o amanhã e você terá de carregar o fardo de todos os seus ontens, porque o amanhã só pode existir se os ontens o alimentarem.

Todo desejo nasce do passado e todo desejo se projeta no futuro. O passado e o futuro constituem toda a sua mente. Analise a mente, disseque-a, e você vai encontrar apenas duas coisas: o passado e o futuro. Você não vai encontrar nem sequer uma gota do presente, nem sequer um único átomo. E o presente é a única realidade, a única existência, o único movimento que existe.

O presente só pode ser encontrado quando a mente está completamente parada; quando o passado não subjuga mais você e o futuro não possui mais você, quando você está desligado das lembranças e das imaginações. Nesse momento, onde está você? Quem é você? Nesse momento você é ninguém. E ninguém pode magoar você quando você é ninguém. Você não pode ser ferido porque o ego está muito propício a receber ferimentos. O ego está quase buscando e procurando ser ferido; ele existe por intermédio dos ferimentos. Toda a existência dele depende do sofrimento, da dor.

Quando você é ninguém, a angústia é impossível, a ansiedade simplesmente inacreditável. Quando você é ninguém, existe um grande silêncio, uma grande calma, nenhum ruído. O passado se foi, o futuro desapareceu, o que existe para fazer barulho? E o silêncio que é ouvido é celestial, é sagrado. Pela primeira vez, nesses espaços de não-mente, você se torna consciente da celebração eterna que se sucede continuamente. É disso que é constituída a vida.

À exceção do homem, toda a vida é feliz. Apenas o homem foi excluído dela, ficou de fora. Apenas ao homem pode acontecer isso, porque só o homem tem consciência.

Agora, a consciência tem duas possibilidades: ou ela se torna uma luz brilhante dentro de você, tão brilhante que até mesmo o sol parecerá pálido perto dela... Buda diz que, se mil sóis aparecessem de repente, quando você olhasse para dentro sem o uso da mente tudo seria luz, luz eterna. Tudo seria alegria, pureza, sem contaminação, sem poluição. Seria simples alegria, inocência. Seria maravilhoso. A sua majestade é indescritível, a sua beleza inexprimível e a sua bênção inexaurível. *Aes dhamo sanantano* — "Essa é a lei suprema."

Se conseguir deixar um pouco a sua mente de lado, você vai tomar consciência do funcionamento cósmico. Então você será apenas energia, e a energia estará sempre aqui e agora; ela nunca deixará o aqui e agora. Essa é uma possibilidade, se você se tornar consciência pura.

A outra possibilidade é você se tornar inibido, acanhado. Então você esmorece. Então você se torna uma entidade separada do mundo. Então você se torna uma ilha, definida, bem definida. Então você está confinado, porque todas as definições confinam. Então você está numa cela de prisão, e a cela de prisão é escura, completamente escura. Não existe luz, nenhuma possibilidade de luz. E a cela da prisão o incapacita, paralisa você.

A inibição torna-se uma servidão; o eu é a servidão. E a consciência torna-se liberdade.

Abandone o eu e seja consciente! Essa é toda a mensagem, a mensagem de todos os budas de todas as idades, passado, presente, futuro. O cerne da mensagem é muito simples: abandone o eu, o ego, a mente, e exista.

Neste exato momento em que esse silêncio satura, quem é você? Um ninguém, um não-ser. Você não tem um nome, você não tem uma forma. Você não é nem um homem nem uma mulher, nem hinduísta nem muçulmano. Você não pertence a nenhum país, a nenhuma nação, a nenhuma raça. Você não é o corpo e não é a mente.

Então o que é você? Nesse silêncio, o que você sente? Como lhe parece ser? Só uma paz, só um silêncio... e dessa paz e desse silêncio uma grande alegria começa a vir à tona, brotando, sem nenhuma razão aparente. É a sua natureza espontânea.

A arte de pôr a mente de lado é todo o segredo da religiosidade porque, quando você põe a mente de lado, você explode em mil e uma cores. Você se torna um arco-íris, uma flor de lótus, uma flor de lótus de mil pétalas. De repente, você se abre e então toda a beleza da vida — que é infinita — é sua. Então todas as estrelas do céu estão dentro de você. Então até mesmo o céu não é o seu limite; você não tem mais limites.

O silêncio lhe dá a oportunidade de se derreter, de fundir, de desaparecer, de evaporar. E quando você não existe, você existe; pela primeira vez, você existe. Quando você não existe, Deus existe, o nirvana existe, a iluminação existe. Quando você não está, tudo é encontrado. Quando você está, tudo está perdido.

O homem perdeu a espontaneidade; esse é o seu descaminho, essa é a queda original. Todas as religiões falam sobre a queda original de uma maneira ou de outra, mas a melhor história está contida no cristianismo. A queda original é porque o homem come da árvore do conhecimento. Quando você come da árvore do conhecimento, come os frutos do conhecimento, isso cria a perda da espontaneidade.

Quanto mais culto você for, mais egoísta você se torna... daí o ego dos estudiosos, dos *pundits,* dos *maulvis.* O ego se torna decorado com grande conhecimento, escrituras, sistemas de pensamento. Mas eles não o inocentam; eles não lhe dão a característica infantil da receptividade, da confiança, do amor, da diversão. Confiança, amor, diversão, admiração, tudo desaparece quando você se torna muito culto.

E somos ensinados a nos tornarmos cultos. Não somos ensinados a ser inocentes, não somos ensinados a nos sentirmos a maravilha da vida. Informam-nos os nomes das flores, mas não nos ensinam como dançar ao redor das flores. Informam-nos os nomes das montanhas, mas não nos ensinam como comungar com as montanhas, como comungar com as estrelas, como comungar com as árvores, como estar afinado com a vida.

Fora de tom, como você pode ser feliz? Fora de tom, você tende a permanecer na angústia, em grande sofrimento, na dor. Você só pode ser feliz quando está dançando com a dança do todo, quando é apenas uma parte da dança, quando é apenas uma parte dessa grande orquestra, quando você não está cantando a sua canção separadamente. Só então, nessa fusão, o homem é livre.

Fico inseguro quando me aproximo das pessoas. O que devo fazer para ser eu mesmo?

～

Todo mundo quer tornar-se incomum. Essa é a busca do ego: tornar-se alguém que seja especial, ser alguém que seja único, incomparável. E esse é o paradoxo: quanto mais você tenta ser excepcional, mais comum você parece, porque todo mundo está atrás da excepcionalidade. Esse é um desejo comum. Se você se tornar comum, a verdadeira busca de ser comum é incomum, porque raramente alguém quer ser simplesmente ninguém, raramente alguém quer ser simplesmente um espaço vazio, oco.

De certa maneira, isso é realmente incomum, porque ninguém quer isso. E quando você se torna comum, você se torna incomum e, é claro, de repente você descobre que, sem procurar, você se tornou especial, único.

Na verdade, todo mundo é único. Se, por um só momento, você parar de correr constantemente atrás de metas, vai perceber que é único, especial. Não há nada a ser descoberto; tudo já está lá. Esse já é o caso: existir é ser único. Não há outra maneira de ser. Cada folha de uma árvore é única, cada seixo na praia é único; não há outra maneira de ser. Você não pode encontrar um seixo parecido em nenhum outro lugar em toda a terra.

Não existem duas coisas semelhantes, portanto não existe a necessidade de ser alguém. Seja apenas você mesmo, e de repente você será único, incomparável. É por isso que eu digo que isso é um paradoxo: os que procuram fracassam, e os que não se incomodam, de repente conseguem.

Mas não se confunda com palavras. Deixe-me repetir: o desejo de ser incomum é muito comum, porque todo mundo o tem. E ter a compreensão de ser comum é muito incomum, porque isso raramente acontece — um Buda, um Lao-tsé, um Jesus têm esse tipo de desejo. Tentar ser único está no pensamento de todo mundo, e todas essas pessoas fracassam e fracassam redondamente.

Como você pode ser mais único do que já é? A singularidade já existe em você; você tem de descobri-la. Não precisa inventá-la. Ela está escondida dentro de você. Você tem de expô-la à existência, isso é tudo. Essa singularidade não é para ser cultivada. É o seu tesouro. Você a carrega sempre consigo. É o seu verdadeiro ser, o verdadeiro âmago do seu ser. Você só precisa fechar os olhos e se observar; você só precisa parar por um instante, relaxar e ver. Mas você vive correndo tanto, tem tanta pressa de alcançá-la, que acaba perdendo contato com ela.

Um dos grandes discípulos de Lao-tsé, Lieh-tsé, conta que certa vez um idiota estava procurando fogo com uma vela que levava na mão. Diz Lieh-tsé: se ele soubesse o que era o fogo, poderia ter cozido o seu arroz antes. Ele passou fome a noite inteira porque estava procurando o fogo, mas não conseguiu encontrá-lo, e tinha uma vela na mão. Como você pode procurar no escuro sem uma vela?

Você está procurando a singularidade e a tem na sua mão. Se entender isso, você poderá cozinhar o seu arroz antes. Eu cozinhei o meu arroz e sei. Você está faminto sem necessidade — o arroz está lá, a vela está lá, a vela é o fogo. Não há necessidade de pegar uma vela e procurar. Se você pegar uma vela e sair para procurar em todo o mundo, não irá encontrar o fogo porque você não sabe o que é o fogo. Do contrário você saberia, porque a vela estaria bem à sua frente, você a estaria levando na mão.

Às vezes acontece com as pessoas que usam óculos. Elas estão com os óculos e continuam procurando por eles. Elas podem estar com pressa e, quando estão com pressa, procuram em todos os lugares mas se esquecem completamente de que estão usando os óculos. Uns até entram em pânico. Você pode ter tido determinadas experiências como essa na sua vida — por causa da própria procura, você fica de tal maneira em pânico, preocupado e perturbado, que deixa de ver com clareza, e não consegue ver o que está à sua frente.

Esse é o caso. Você não precisa procurar pela singularidade, pois já é único. Não há como tornar uma coisa mais única. A expressão "mais único" é absurda. Único é suficiente; não existe nada parecido com "mais único". É assim como a palavra *círculo*. Círculos existem — mas não existe nada como "mais circular". Isso é um absurdo. Um círculo é sempre perfeito, mais não é preciso. Não existem graus de circularidade. Um círculo é um círculo; menos e mais são palavras inúteis.

Singularidade é singularidade; menos e mais não se aplicam a ela. Você já é único. Só se percebe isso quando se está pronto para se tornar comum. Esse é o paradoxo. Mas se você entende, não há problema — o paradoxo está ali, é bonito, não existe nenhum problema. Um paradoxo não é um problema. Ele se parece com um problema se você não o entender; se você entender, ele será bonito, será um mistério.

Torne-se comum e você vai se tornar incomum. Tente tornar-se incomum e você vai permanecer comum.

O que é dar e o que é receber?

*Agora eu entendo que estou apenas começando a vislumbrar isso.
Receber é como a morte para mim e, automaticamente,
todo o meu ser entra em estado de alerta máximo.
Socorro! A vida parece tão imensa!*

Eu entendo o que está perturbando você. Isso aflige quase todo mundo. É bom que você tenha reconhecido isso porque agora é possível mudar a situação. Infelizmente, existem aqueles que sofrem do mesmo problema mas não tomam consciência dele; por causa da sua inconsciência, não existe a possibilidade de nenhuma transformação.

Você teve a coragem de se expor. Estou imensamente feliz com isso. Quero que toda a minha gente tenha a coragem suficiente para se expor, por mais feio que pareça.

O que acontece é que continuamos escondendo o feio e fingindo quanto ao bonito. Isso cria uma situação esquizofrênica: você passa a vida mostrando o que não é; e passa a vida reprimindo o que realmente é. A sua vida se torna uma contínua guerra civil. Você luta consigo mesmo, e toda a luta consigo mesmo acaba por destruí-lo. Ninguém pode vencer.

Se a minha mão direita e a esquerda começarem a lutar, você acha que alguma delas poderá vencer? Posso dar um jeito às vezes para deixar a mão direita sentir-se bem, achando que venceu, e às vezes mudar a situação e deixar a mão esquerda achando que foi a vencedora. Mas nenhuma das duas pode ser realmente a vencedora, porque as duas mãos são minhas.

Quase todo ser humano carrega uma personalidade dividida. E o fato mais importante é que ele se identifica com a parte falsa e nega a própria realidade. Nessa situação, você não pode esperar evoluir como um ser espiritual.

O que o autor da pergunta está dizendo é tremendamente importante de entender. Ele está perguntando: "O que é dar?" Alguma vez você já se perguntou o que é dar? Você pensa que já está dando demais aos seus filhos, à sua esposa, à sua namorada, à sociedade, ao Rotary Club, ao Lions' Club... você dá além da conta. Mas o fato é que você não sabe o que é dar.

A menos que você dê a si mesmo, não estará dando nada.

Você pode dar dinheiro, mas você não é o dinheiro. A menos que você se dê — isso significa: a menos que dê amor — você não sabe o que é dar.

"...E o que é receber?" Quase todo mundo pensa que sabe o que é receber. Mas o autor da pergunta está certo em perguntar e se expor, dizendo que não sabe o que é receber. Assim como: a menos que dê amor, você não sabe o que é dar, o mesmo se aplica quanto a receber: a menos que seja capaz de receber amor, você não sabe o que é receber. Você quer ser amado, mas não pensou a respeito: você é capaz de receber amor? Existem muitos impedimentos que não vão deixar que você receba.

O primeiro é que você não tem nenhum respeito por si próprio; daí, quando o amor o procura, você não se sente suficientemente capaz de recebê-lo. Mas você está em tal confusão que não consegue nem ao menos ver um fato simples: porque você nunca se aceitou como é, nunca se amou... Como conseguir receber o amor de outra pessoa? Você sabe que não merece, mas não quer aceitar e reconhecer essa idéia estúpida que foi alimentada por você, de que não é merecedor. Então o que você faz? Você simplesmente recusa o amor. E para recusar o amor você tem de encontrar desculpas.

A primeira e mais evidente desculpa é que "isso não é amor — é por isso que não posso aceitar". Você não consegue acreditar que alguém possa amar você. Quando você próprio não consegue se amar, quando você não se enxerga, não enxerga a sua beleza, a sua graça, a sua grandeza, como acreditar quando alguém diz: "Você é uma pessoa bonita. Eu vejo nos seus olhos uma profundidade insondável, uma graça imensa. Vejo no seu coração um ritmo sintonizado com o do universo." Você não consegue acreditar em tudo isso: é demais. Você está acostumado a ser censurado, está acostumado a ser punido, está acostumado a ser rejeitado. Você está tão acostumado a não ser aceito como é que essas coisas você aceita muito facilmente.

O amor terá um impacto enorme sobre você, porque você terá de passar por uma grande transformação antes de recebê-lo. Em primeiro lugar, você terá de se aceitar sem nenhuma culpa. Você não é um pecador como o cristianismo e outras religiões têm-lhe ensinado.

Você não vê a estupidez da coisa como um todo. Algum sujeito no passado, um Adão, desobedeceu a Deus, o que nem é tanto pecado assim. Na verdade, ele estava absolutamente certo em desobedecê-lo. Se alguém cometeu um pecado foi Deus, por proibir o filho, a própria filha, de comer o fruto do conhecimento e comer o fruto da vida eterna. Que tipo de pai é esse? Que tipo de Deus é esse? Que tipo de amor é esse?

O amor requer que Deus deveria ter advertido a Adão e Eva: "Antes de comerem mais alguma coisa, lembrem-se destas duas árvores. Comam tanto quanto queiram da árvore da sabedoria e da árvore da vida eterna, de modo a poderem ficar no mesmo nível de imortalidade que eu." Essa devia ser uma coisa simples para alguém que ama. Mas Deus proibir Adão da sabedoria significa que ele queria que o filho permanecesse ignorante. Talvez tivesse ciúme, medo, preocupação de que Adão se tornasse sábio, que se tornasse igual a ele. Ele queria manter Adão na ignorância para que permanecesse inferior. E se Adão comesse o fruto da vida eterna, então Adão seria um deus.

Esse Deus que impediu Adão e Eva de serem sábios devia ser muito ciumento, completamente horrível, desumano, detestável. E se todas essas coisas não são pecado, então o que pode ser? Mas as religiões ensinam a vocês, judeus, cristãos e muçulmanos, que vocês ainda carregam o pecado que Adão cometeu. Existe um limite para manter as mentiras por tanto tempo. Mesmo se Adão tivesse cometido um pecado, você não pode carregá-lo. Você foi criado por Deus, de acordo com essas religiões, e você não está carregando a divindade, mas está carregando a desobediência de Adão e Eva?

Essa é a maneira ocidental de condenar você — você é um pecador. A maneira oriental chega à mesma conclusão, mas a partir de premissas diferentes. Eles dizem que todo mundo carrega um pecado imenso e atos malignos, cometidos em milhões de vidas passadas. Na verdade, a carga de um cristão, de um judeu ou de um muçulmano é muito menor. Você está carregando apenas o pecado que Adão e Eva cometeram. E ele deve ter-se diluído bastante... séculos após séculos. Você não é um herdeiro direto dos pecados de Adão e de Eva. Ele tem passado por muitos milhões de mãos; no momento, essa quantidade deve ser quase homeopática.

Mas o conceito oriental é ainda mais assustador. Você não está carregando o pecado de outra pessoa... Em primeiro lugar, você não pode carregar o pecado de outra pessoa. O seu pai comete um crime — você não pode ser preso. Até mesmo o senso comum dirá que, se o pai cometeu o pecado ou o crime, ele terá de pagar. O filho ou o neto não podem ser enviados às galés porque o avô cometeu um homicídio.

Mas o conceito oriental é muito mais perigoso e venenoso: é o seu próprio pecado que você está carregando, não o de Adão e Eva. E não é uma pequena quantidade; ele vem crescendo a cada vida! E você viveu milhões de vidas antes desta vida, e em cada vida você cometeu muitos pecados. Eles estão todos acumulados no seu peito. A carga é do tamanho do Himalaia; você está esmagado embaixo dela.

Essa é uma estranha estratégia para destruir a sua dignidade, para reduzir você a um ser subumano. Como você pode se amar? Você pode odiar, mas não pode amar. Como você consegue pensar que alguém pode ser capaz de amar você? É melhor rejeitar esse amor, porque cedo ou tarde a pessoa que está oferecendo o amor dela a você vai descobrir a verdade a seu respeito, que é muito feia — exatamente uma imensa carga de pecados. E então essa pessoa vai rejeitar você. Para evitar a rejeição, é melhor rejeitar o amor. É por isso que as pessoas não aceitam o amor.

Elas desejam, elas anseiam por ele. Mas, quando chega a hora e alguém está pronto para inundar você de amor, você recua. O seu recuo tem um significado psicológico profundo. Você tem medo: isso é maravilhoso, mas quanto tempo vai durar? Cedo ou tarde a verdade sobre mim será revelada. É melhor ficar atento desde o começo.

Amor significa intimidade; amor significa duas pessoas se aproximando; amor significa dois corpos mas uma só alma. Você tem medo — sua alma? uma alma pecadora, carregada de ações condenáveis de milhões de vidas...? Não, é melhor esconder tudo; é melhor não assumir uma posição na qual a pessoa que queria amá-lo acabe por rejeitá-lo. É o medo da rejeição que não permite que você receba amor.

Você não consegue dar amor porque ninguém lhe disse que nasceu como um ser amoroso. Disseram-lhe: "Você nasceu pecador!" Você não consegue amar nem consegue receber amor. Isso tem diminuído todas as suas possibilidades de crescimento.

O autor da pergunta diz: "Agora eu entendo que estou apenas começando a vislumbrar isso." Você tem sorte, porque há milhões de pessoas no mundo que se tornaram completamente cegas ao seu próprio condicionamento, às cargas horríveis que a geração anterior deixou para elas. Isso dói tanto que é melhor esquecer tudo. Mas ao esquecer você não consegue eliminar.

Ao se esquecer de um câncer você não pode operá-lo. Por não reconhecê-lo, mantendo-o no escuro, você estará correndo o maior risco desnecessário contra si mesmo. Ele vai continuar se desenvolvendo. Ele precisa da escuridão; ele precisa que você não saiba da existência dele. Cedo ou tarde, ele vai sobrepujar todo o seu ser. E ninguém mais vai ser responsável a não ser você.

Então você sente que, tendo vislumbres, algumas janelas se abrirão em você.

"Receber é como a morte para mim." Alguma vez você já pensou nisso? Receber é como a morte para você — é verdade. Receber é como a morte porque receber se parece com a humilhação. Receber algo, especialmente amor, significa que você é um mendigo. Ninguém quer ser a parte que recebe, porque ela torna você inferior ao doador. "Receber é como a morte para mim e, automaticamente, todo o meu ser entra em estado de alerta máximo."

Esse alerta máximo está implantado em você pela sociedade que você sempre respeitou, pelas mesmas pessoas que você pensou que lhe queriam bem. E eu não digo que essas pessoas tenham tentado prejudicar você intencionalmente. Elas foram prejudicadas pelos outros e estão simplesmente transferindo tudo o que receberam dos pais, dos professores, da geração anterior.

Cada geração continua transmitindo doenças para a nova geração e, assim, a nova geração torna-se cada vez mais carregada. Você é herdeiro de todas as superstições, de todos os conceitos repressivos de toda a história. O que entra em alerta máximo não é algo que lhe pertence. É o seu condicionamento que entra em alerta máximo. E a sua última frase é apenas um esforço para encontrar uma racionalização para ele. Esse também é um dos grandes perigos de que todo mundo precisa tomar consciência.

Não racionalize.

Vá diretamente às raízes de todo problema.

Mas não encontre desculpas, porque, se você encontrar desculpas, não poderá eliminar essas raízes.

A última afirmação do autor da pergunta é uma racionalização. Talvez ele não seja capaz de ver a sua característica intrínseca. Ele diz: "Socorro! A vida parece tão imensa."

Então, ele está pensando que tem medo de receber porque a vida é tão imensa, que ele tem medo de dar porque a vida é tão imensa. Qual é o sentido de dar o seu pequeno amor, como uma gota de orvalho, para o oceano? O oceano nunca vai tomar conhecimento dela; daí não faz sentido dar nem faz sentido receber. Porque o oceano é tão imenso, você irá se afogar nele. Daí ele se parecer com a morte. Mas isso é uma racionalização sua.

Você não sabe nada sobre a vida; você não sabe nada sobre si mesmo — qual é o ponto mais próximo da vida para você. A menos que comece a partir do seu próprio ser, você nunca vai conhecer a vida. Esse é o ponto de partida, e tudo tem de começar do próprio começo.

Conhecendo a si mesmo, você vai conhecer a sua existência. Mas o gosto e o perfume da sua existência vão lhe dar coragem para ir um pouco mais fundo na vida dos outros. Se a sua própria existência fez você tão feliz... é natural querer entrar em outros mistérios que o cercam: mistérios humanos, mistérios dos animais, mistérios das árvores, mistérios das estrelas.

E depois de ter conhecido a sua vida você não teme mais a morte.

A morte é uma ficção; ela não acontece, ela apenas aparece... Ela aparece do exterior. Alguma vez você já viu a sua própria morte? Você deve ter visto outra pessoa morrer. Mas você já se viu morrendo? Ninguém viu; do contrário, até mesmo esse mínimo de vida se tornaria impossível. Todo dia você vê alguém morrer, mas é sempre outra pessoa; nunca é você.

O poeta que escreveu: "Nunca pergunte por quem os sinos dobram; eles dobram por ti", tinha uma compreensão mais profunda do que você. Ele deve ter sido um cristão, porque quando alguém morre num vilarejo cristão o sino da igreja bate para informar a todos — as pessoas que foram para as suas chácaras, para os seus pomares, as pessoas que foram trabalhar em outro lugar. O sino da igreja as faz lembrar: alguém morreu. Então todas elas voltam para dar a última despedida.

Mas o poeta teve uma tremenda percepção quando disse: "Nunca pergunte por quem os sinos dobram; eles dobram por ti."

No entanto, na sua vida atual, eles nunca dobram por você. Um dia eles vão dobrar, mas então você não estará mais aqui para ouvir. Você nunca pensa em si mesmo no limiar da morte — e todo mundo está no limiar. Você sempre vê outra pessoa morrer — daí a experiência ser objetiva, não subjetiva.

O outro não está morrendo, mas apenas mudando de casa. A força vital dele está passando para uma nova forma, um novo plano. Apenas o corpo é deixado sem a energia vital — mas o corpo nunca a teve.

É exatamente como uma vela acesa numa casa escura iluminando-a por inteiro. Mesmo do lado de fora você vê a luz pelas janelas, pelas portas, mas a casa não tem a luz como uma parte intrínseca sua. No momento em que a vela acabar, a casa ficará às escuras. Na verdade, ela sempre esteve no escuro; era a vela que tinha a luz.

O seu corpo já está morto. O que lhe dá a impressão de que ele está vivo é a sua energia vital, o seu ser, que se irradia pelo corpo, que enche o corpo de vitalidade. Tudo o que você vê quando as pessoas morrem é que algo desapareceu. Você não sabe para onde a pessoa foi — se foi para algum lugar ou se simplesmente deixou de existir. Então, a ilusão da morte foi criada do lado de fora.

As pessoas que conhecem a si mesmas sabem, sem sombra de dúvida, que são seres eternos. Elas morreram muitas vezes, e ainda assim estão vivas.

Morte e nascimento são apenas pequenos episódios na grande peregrinação da alma. O seu medo da morte vai desaparecer imediatamente no momento em que você entrar em contato consigo mesmo. E isso abre um horizonte totalmente novo a ser explorado. Depois de saber que não existe morte, todo o medo desaparece. O medo do desconhecido, o medo da escuridão... qualquer que seja a forma, todos os medos desaparecem. Você começa pela primeira vez a ser um verdadeiro aventureiro. Você começa a penetrar nos diversos mistérios que o cercam.

Pela primeira vez, a vida se torna o seu lar.

Não há nada a temer: ela é a sua mãe; você faz parte dela. Ela não pode afogar você, não pode destruir você.

Quanto mais você aprende, mais você se sente alimentado; mais você conhece, mais se sente abençoado; quanto mais conhece, mais você existe. Então você pode dar amor porque tem o que dar. Então você pode receber amor porque não existe o problema de rejeição.

A sua pergunta será útil para todo mundo. Eu lhe agradeço pela sua pergunta e pela sua coragem de se expor. Essa coragem é necessária a todo mundo, porque sem ela você não pode esperar por nenhuma possibilidade de transformação — num mundo novo, numa consciência nova, no seu ser autêntico, que é a porta para a realidade suprema e a bênção suprema.

Qual é o segredo para viver com intimidade?

Para conhecer a existência você precisa viver a vida. Você não vive a vida, você vive em pensamentos. Você vive no passado, no futuro, mas nunca no aqui e agora. E a vida é aqui e agora. Você não está aqui, daí surgir essa pergunta. A pergunta surge porque você não se encontra com a existência. Você pensa que vive, mas não vive. Você pensa que ama, mas não ama. Você apenas pensa sobre o amor, pensa sobre a vida, pensa sobre a existência, e esse pensar é a questão, esse pensar é a barreira. Esqueça todos os pensamentos e veja. Você não vai encontrar uma única pergunta; só existem respostas.

É por isso que eu insisto vezes sem conta que a busca não é verdadeiramente pela resposta, a busca não é verdadeiramente de modo que as suas perguntas possam ser respondidas. Não, a busca é apenas sobre como abandonar as perguntas, como ver a vida e a existência com uma mente não questionadora. Esse é o significado de *shraddha,* confiança. Essa é a mais profunda dimensão de *shraddha* ou confiança — você observa a existência com uma mente não questionadora.

Você simplesmente olha. Você não faz idéia de como observá-la, você não impõe nenhuma forma a ela, você não tem nenhum preconceito; você simplesmente olha com olhos nus, absolutamente desarmados de quaisquer pensamentos, de quaisquer filosofias, de quaisquer religiões. Você observa a existência com olhos como de uma criancinha e então, de repente, só existe a resposta.

Não existem perguntas na existência. As perguntas vêm de você. E elas continuarão vindo; você vai continuar acumulando tantas respostas quanto quiser, e essas respostas não vão ajudar. Você terá de chegar à resposta, e para chegar à resposta terá de parar com o questionamento. Quando não houver pergunta na mente, a visão ficará clara, você terá uma clareza de percepção; as portas da percepção se desobstruirão, se abrirão, e tudo de repente ficará transparente. Você poderá ir à própria profundidade. Para onde quer que você olhe, o seu olhar penetrará o âmago mais profundo e de repente você se encontrará.

Você se encontrará em toda parte. Você vai se encontrar numa rocha, se olhar profundamente, bem profundamente. Então aquele que olha, o observador, torna-se o observado, o que vê torna-se o visto, o conhecedor torna-se o conhecido. Se você olhar com bastante profundidade uma rocha, uma árvore, ou um homem ou uma mulher, se continuar olhando profundamente, esse olhar será um círculo. Ele começa em você, atravessa o outro e volta para você. Tudo é tão transparente. Nada coloca obstáculos. O raio vai, torna-se um círculo e volta para você.

Daí uma das maiores frases secretas dos Upanishads: *Tat Twamasi Swetaketu* — "Tu é isso" ou "Isso é tu". O círculo é completo. Então o devoto encontra-se em união com Deus. Então aquele que busca está em união com aquilo que busca. Então o inquiridor torna-se ele próprio a resposta.

Na existência não existem perguntas. Eu tenho vivido nela por tempo suficiente e até agora não encontrei uma única pergunta, nem mesmo um fragmento de pergunta. Simplesmente se vive.

Então a vida tem uma beleza própria. Nenhuma dúvida surge na mente, nenhuma suspeita o cerca, nenhuma pergunta existe dentro do seu ser — você está indiviso, íntegro.

SOBRE O AUTOR

Osho desafia categorizações. Suas milhares de palestras abrangem desde a busca individual por significado até os problemas sociais e políticos mais urgentes que a sociedade enfrenta hoje. Seus livros não são escritos, mas transcrições de gravações em áudio e vídeo de palestras proferidas de improviso a plateias de várias partes do mundo. Em suas próprias palavras, "Lembrem-se: nada do que eu digo é só para você... Falo também para as gerações futuras".

Osho foi descrito pelo Sunday Times, de Londres, como um dos "mil criadores do século XX", e pelo autor americano Tom Robbins como "o homem mais perigoso desde Jesus Cristo". O jornal Sunday Mid-Day, da Índia, elegeu Osho – ao lado de Buda, Gandhi e o primeiro-ministro Nehru – como uma das dez pessoas que mudaram o destino da Índia.

Sobre sua própria obra, Osho afirmou que está ajudando a criar as condições para o nascimento de um novo tipo de ser humano. Muitas vezes, ele caracterizou esse novo ser humano como "Zorba, o Buda" – capaz tanto de desfrutar os prazeres da terra, como Zorba, o Grego, como de desfrutar a silenciosa serenidade, como Gautama, o Buda.

Como um fio de ligação percorrendo todos os aspectos das palestras e meditações de Osho, há uma visão que engloba tanto a sabedoria perene de todas as eras passadas quanto o enorme potencial da ciência e da tecnologia de hoje (e de amanhã).

Osho é conhecido pela sua revolucionária contribuição à ciência da transformação interior, com uma abordagem de meditação que leva em conta o ritmo acelerado da vida contemporânea. Suas singulares meditações ativas **OSHO** têm por objetivo, antes de tudo, aliviar as tensões acumuladas no corpo e na mente, o que facilita a experiência da serenidade e do relaxamento, livre de pensamentos, na vida diária.

Dois trabalhos autobiográficos do autor estão disponíveis:

Autobiografia de um Místico Espiritualmente Incorreto, publicado por esta mesma Editora.

Glimpses of a Golden Childhood (Vislumbres de uma Infância Dourada).

PARA MAIS INFORMAÇÕES

Para maiores informações: http://www.**OSHO**.com

Um *site* abrangente, disponível em vários idiomas, que disponibiliza uma revista, os livros de Osho, palestras em áudio e vídeo, **OSHO** biblioteca *online* e informações extensivas sobre o **OSHO** Meditação. Você também encontrará o calendário de programas da **OSHO** Multiversity e informações sobre o **OSHO** International Meditation Resort.

Websites:
    http://**OSHO**.com/AllAbout**OSHO**
    http://**OSHO**.com/Resort
    http://**OSHO**.com/Shop
    http://www.youtube.com/**OSHO**international
    http://www.Twitter.com/**OSHO**
    http://www.facebook.com/pages/**OSHO**.International

Para entrar em contato com a **OSHO** International Foundation:
    http://www.osho.com/oshointernational
    E-mail: oshointernational@oshointernational.com